Tajemnica
starego strychu

Tajemnica starego strychu

Agnieszka Błotnicka

IMAGINIS

ILUSTROWAŁA
ANNA MIŚKIEWICZ

EGMONT

Text © 2007 by Agnieszka Błotnicka
© Egmont Polska Sp. z o.o., Warszawa 2007

Projekt okładki i stron tytułowych: Agnieszka Wrycz

Redakcja: Edyta Domańska
Korekta: Małgorzata Kąkiel, Magdalena Matuszewska, Anna Sidorek

Wydanie pierwsze, Warszawa 2007
Wydawnictwo Egmont Polska Sp. z o.o.
ul. Dzielna 60, 01-029 Warszawa
tel. 0 22 838 41 00
www.egmont.pl/ksiazki

ISBN: 978-83-237-8439-5

Opracowanie typograficzne, skład i łamanie:
Grażyna Janecka

Druk: Zakład Graficzny COLONEL, Kraków

Martynie, Michałowi i mamie

1

Jędrek i mama wprowadzają się do zrujnowanego domu. Są przerażeni jego stanem. Czy potwierdzą się obawy Ani i Piotrka, że w tym miejscu dzieją się dziwne rzeczy i nie powinno się w nim mieszkać?

Po szarpnięciu gałęzią jabłoń zadrżała. Piotrek wspiął się wyżej, postawił nogę na grubym konarze i wyciągnął rękę, chcąc dosięgnąć dużego, kołyszącego się leniwie jabłka. Na dole Ania obserwowała go z niepokojem.

– Chodź, Piotrek, proszę. Nie lubię tego miejsca.

– Poczekaj. Jeszcze jedno i już nas nie ma.

Piotrek złapał za gałąź i potrząsnął nią. Jabłko poddało się wreszcie i spadło na ziemię.

Ania rozejrzała się.

Ogród tonął w popołudniowym mroku. Od dawna niepielęgnowane przez nikogo karłowate i powyginane drzewa owocowe rzucały nienaturalne cienie. W szarym świetle zmierzchu dzikie wino dość gęsto obrastające ganek przypominało zarośla buszu kryjące w swoich ciemnościach dzikie zwierzęta i groźne potwory. Dom, ciemnoszary w zanikającym świetle dnia, wydawał się jeszcze bardziej posępny niż zawsze. Okna jak puste oczodoły zabrudzonymi szybami odbijały cienie z ogrodu, zniekształcając je nieprzyjemnie. Serce Ani zabiło mocniej, odwróciła głowę.

– Piotrek, chodźmy już. Mama będzie zła.

Jej brat zeskoczył już na ziemię i zbierał strącone jabłka.

– Czekaj, tylko je pozbieram. Ciągle się wszystkiego boisz. Nie zabiorę cię tu więcej.

– Nie wszystkiego, tylko tego domu. I tego ogrodu.

Piotrek zaśmiał się i wrzucił do torby ostatnie jabłko. Jedno nadgryzł, ale od razu się skrzywił. Było kwaśne i cierpkie.

– Oczywiście, zaraz zlezą się tutaj potwory! Ania, Ania zestrachana!

– Taki jesteś mądry? A kto się bał tu przyjść, bo to dziwne miejsce?

Piotrek udał, że nie słyszy, zarzucił torbę na plecy i dał siostrze znak głową, że mogą już iść. Ania z ulgą skierowała się w stronę płotu okalającego ogród.

W tej samej jednak chwili oboje usłyszeli odgłos zbliżającego się samochodu. Przystanęli przy ogrodzeniu, a Piotrek położył palec na ustach. Zaczęli nasłuchiwać.

Dom był opuszczony i położony z dala od zabudowań mieszkalnych, nikt więc z miasteczka nie zapuszczał się tutaj o tej porze. Nikt też nie pozwalał, aby dzieci kręciły się w jego pobliżu. Przez wiele lat zrujnowany dworek zdążył okryć się złą sławą, a w okolicy krążyły rozmaite historie na jego temat. Opuszczony i zaniedbany stanowił często schronienie dla włóczęgów i innych podejrzanych typów. Mieszkańcy Lipek z rozmysłem opowiadali o nim niesłychane rzeczy, a wszystko po to, by wielki ogród i tajemnicze zakamarki budynku nie kusiły dzieci. I dzieci wiedziały, że lepiej trzymać się od niego z daleka. Ania i Piotrek, łamiąc zakaz, a tym samym narażając się na gniew dorosłych, postanowili poczekać, aż samochód minie dom. Dopiero wtedy będą mogli spokojnie wymknąć się na drogę prowadzącą do miasteczka.

Odgłos silnika przybliżał się. Po ciężko warczącym motorze oboje zorientowali się, że samochód musi być stary i duży, zapewne ciężarowy. Przytuleni do ogrodzenia, zaciekawieni, przysunęli głowy do dziury w płocie i uważając, aby nie spowodować żadnego hałasu, wyjrzeli na drogę.

Po piaszczystej, wyboistej drodze, z fruwającą i trzepoczącą na wszystkie strony plandeką nadjeżdżała rozklekotana

ciężarówka. Gdy była już na wysokości drewnianej bramy, zatrzymała się z głośnym syknięciem. Silnik zgasł. Zapadła absolutna cisza.

Piotrek i Ania spojrzeli na siebie.

– Co robimy? – zapytała Ania i ścisnęła brata za ramię, aż jęknął.

– Jejku, po pierwsze, nie ściskaj mnie tak, po drugie, na razie nic – patrzymy i czekamy.

Z kabiny ciężarówki wysiadła ostrożnie kobieta w średnim wieku, a tuż za nią wyskoczył chłopiec, mniej więcej jedenastoletni, o ciemnych kręconych włosach i lekko zadartym nosie.

– Zaraz otworzę! Będzie pan mógł wjechać do środka! – zawołała kobieta do kogoś w kabinie ciężarówki i podeszła do bramy.

Z okienka kabiny wychylił się kierowca, z kącika ust zwisał mu wypalony do połowy papieros. Spojrzał na ogrodzenie, a potem dokładnie się rozejrzał. Musiał dostrzec fragment domu i ogród, bo gwizdnął pod nosem:

– No, pałac to nie jest... Ale wybrała pani miejsce do mieszkania!

– Nie ja, mój mąż. To podobno zabytkowy, piękny dworek. – Kobieta wyglądała na zachwyconą i podekscytowaną.

– Piękny dworek...? – Kierowca nie wydawał się przekonany. – Może i piękny. Pewnie w ciemności tak źle widzę.

Ukryte przy ogrodzeniu dzieci zamarły. Piotrek trącił Anię.

– Ale numer! Oni tu będą mieszkać...

– Cicho, bo nas usłyszą. Nie wierzę, to chyba pomyłka... Nikt normalny nie zamieszkałby w strasznym domu...

– Chodź, obejrzymy ich sobie...

– Ja chcę już do domu. – Ania zadrżała, nie wiadomo, czy ze strachu, czy z zimna.

– Ojej, zaraz pójdziemy. Schowamy się w ogrodzie za żywopłotem, nie zobaczą nas, chodź...

To mówiąc, Piotrek pociągnął siostrę za sobą, a ona niechętnie ruszyła za nim. Oboje schyleni jak mali konspiratorzy przebiegli kilka metrów i kucnęli w ogrodzie, za żywopłotem. Stąd mieli dobry widok na podwórze i ganek.

Tymczasem przy bramie kobieta szamotała się z zamkiem, nerwowo wiercąc kluczem, ale mechanizm, najwyraźniej zardzewiały i rzadko używany, stawiał opór. Towarzyszący jej chłopiec przysunął twarz do ogrodzenia i szukał jakiejś szczeliny, przez którą mógłby coś zobaczyć.

– Nie dam rady! Proszę pana, czy mógłby mi pan pomóc? – Spojrzała błagalnie na znudzonego kierowcę.

Mężczyzna wysunął rękę z kabiny i zastukał mocno w dach części towarowej.

– Staszek, wyskocz, pomóż pani bramę otworzyć.

Z tyłu samochodu wyskoczył barczysty młody mężczyzna. Podszedł do kobiety i wziął od niej klucz.

– Przepraszam, ale to najlepsza metoda. – To powiedziawszy, splunął na klucz i włożył go do zamka.

Przekręcił klucz jednym silnym ruchem. Mechanizm zgrzytnął i zaskoczył. Brama uchyliła się ze skrzypnięciem. Chłopiec pierwszy dopadł do wejścia i stanął jak wryty. Kobieta, nie wiedząc jeszcze, co zobaczył, zaśmiała się.

– Jędrek, masz taką minę, jakbyś ducha zobaczył. – A następnie sama zajrzała przez bramę. Uśmiech natychmiast zgasł na jej twarzy. – O Boże...

– Ale rudera... Nie będę tu mieszkał. – Jędrek najwyraźniej nie zamierzał nawet przekroczyć bramy wjazdowej.

– To co robimy, kierowniczko? – Kierowca wypluł papierosa i spojrzał pytająco na właścicielkę.

Kobieta stała jak skamieniała, patrząc na oskubany z tynku budynek z powybijanymi szybami, na ocean chwastów i na pnącza dzikiego wina gęsto pokrywające ganek. Zachwiała się i oparła o bramę.

– Gdybym tylko mogła, zaraz bym zemdlała. Ale mnie urządził... No, no!

– Mamo, wracajmy...

– Dokąd? Nie mamy dokąd, nie dzisiaj. Niech pan wjeżdża. – Machnęła zrezygnowana ręką i ciężko westchnęła.

Staszek otworzył szeroko bramę i dał znak kierowcy. Ten uruchomił ciężarówkę. Samochód najpierw cofnął się nieco, a następnie, z warkotem, powoli wtoczył do środka.

Światło reflektorów podkreśliło dokładnie każdą wadę i każdy ubytek domu, który wydawał się teraz jeszcze bardziej upiorny niż zwykle. Zniszczone drewniane okiennice zwisały bezradnie wzdłuż ściany, pokruszony tynk tworzył na murze wielkie ceglane kleksy. Dzikie wino na ganku oplatało swoimi pnączami nie tylko werandę, ale i część ścian. Pnąca się po murze roślina w zapadającym zmierzchu przypominała powyginane szpony. Drzwi wejściowe, nie dość, że odrapane, były też częściowo nadpalone, jakby ktoś, nie mogąc ich sforsować, próbował przynajmniej wypalić dziurę.

Kobieta patrzyła na dom z przerażeniem. Jędrek z dłońmi w kieszeniach stał obok niej z niechętnym wyrazem twarzy.

– Jędrek, ja teraz nic nie zrobię, musimy tu spędzić noc.

– Mamo, tu nie da się spędzić nocy... To ruina.

– Przestań.

Ciężarówka wjechała na podwórze i zatrzymała się. Kierowca wyszedł z samochodu i rzucił okiem na dom. Na jego twarzy pojawił się uśmiech rozbawienia.

– Piękny dworek. Śliczniutki, powiedziałbym. Wyładować meble czy woli pani najpierw zajrzeć do środka?

– Wejdźmy tam. To dramat, nie dom. Dlaczego nie sprawdziłam tego wcześniej... – Mama Jędrka patrzyła na dom z przerażeniem.

– Bo pracujesz. Bo na nic nie masz czasu – zamruczał ponuro Jędrek.

– Zrzędzisz jak babcia. Twój tata zapewniał, że wszystko jest przygotowane. Nic to! Chodźmy! Stawmy czoło przeznaczeniu! – zawołała z udawanym entuzjazmem i raźno ruszyła w stronę drzwi.

Po pokonaniu kilku schodków znalazła się na ganku. Odgarnęła pnącze dzikiego wina, które, kierując się ku ścianie, miękkim łukiem opadało na werandę, i stanęła przed drzwiami. Piotrek i Ania, ukryci za żywopłotem, obserwowali z zapartym tchem wszystko, co działo się na podwórzu. Wiedzieli, że są świadkami wyjątkowej chwili. Po raz pierwszy od dawna ktoś przekroczy próg tego domu. Nie mogąc opanować ciekawości, wychylili głowy zza gęstwy krzaków. Ryzykowali, przybysze mogli ich dostrzec i wygonić. Nikt z nowo przybyłych nie patrzył jednak w ich stronę. Piotrek bardzo żałował, że nie będzie mógł zobaczyć tego, co znajduje się w środku. Ania natomiast, dygocąc z nerwów, marzyła, aby znaleźć się już w domu. Chcąc uspokoić siostrę, Piotrek obiecał, że posłuchają tylko, jak przybysze ocenią wnętrze, a potem wymkną się z ogrodu.

Mama Jędrka, nauczona przez pana Staszka, ukradkiem splunęła na klucz i włożyła do zamka. Kręciła nim trochę, następnie szarpnęła, ale bez rezultatu. Chwilę potem na dobre szamotała się z zamkiem. Drzwi nie ustąpiły, ale za to przez sam ich środek przebiegł duży, spłoszony hałasem pająk.

– To był pająk? – spytała Jędrka słabym głosem, a syn kiwnął twierdząco głową. – Jeszcze pająki... Panie Staszku, jeśli można, pan jakoś lepiej pluje...

Staszek podszedł do drzwi i chwycił za klamkę. Potem powtórzył procedurę uzdatniania klucza i tym razem zamek również uległ jego sile. Drzwi stały otworem, ale otwór tonął w nieprzeniknionej ciemności. Mama Jędrka z pewnym wahaniem zajrzała w głąb. Nie mogąc nic dostrzec, westchnęła ciężko i weszła do środka. Jędrek, ociągając się, wszedł za nią. Staszek został na zewnątrz. Wyjął ze spodni papierosa, spojrzał w niebo, na którym pojawił się blady i niewyraźny jeszcze sierp księżyca, i wziął głęboki oddech.

– Przynajmniej powietrze świeże, nie to co w mieście.

Nagle z wnętrza domu dobiegł krzyk. Staszek rzucił papierosa i wbiegł do środka. Również kierowca szybkim krokiem ruszył w stronę drzwi wejściowych. Zaintrygowany Piotrek nie wytrzymał i prawie cały wychylił się zza żywopłotu, jakby dzięki temu mógł przeniknąć wzrokiem ściany domu. Ania złapała go za spodenki i pociągnięciem zmusiła do kucnięcia.

– Co robisz? – syknęła.

– Słyszałaś? – głos Piotrka drżał z ekscytacji. – Krzyk. Co się tam dzieje?

– Nie wiem, ale tym bardziej siedźmy cicho. Jeśli tam jest coś potwornego, lepiej, żeby nas nie zobaczyło. A poza tym uprzedzam, liczę do dziesięciu i idę do domu... Jeden, dwa...

Odliczanie przerwała mama Jędrka, która, piszcząc i wymachując rękami, wybiegła z domu. Wyglądała, jakby wpadła w szał: targała włosy, potrząsała głową, deptała ziemię jak stepujący tancerz, klepała się po tułowiu i nogach. Dzieciom się zdawało, że są świadkami egzotycznego, szamańskiego tańca.

– To ten dom przyprawił ją o szaleństwo – stwierdził z przekonaniem Piotrek, a Ania cicho jęknęła.

– Są wszędzie! Pełno! Boże! Miliony! – krzyczała mama Jędrka i z desperacją strzepywała z siebie pająki.

Po krótkiej chwili z domu wyszedł kierowca i Staszek.

– Spokojnie, pająków dużo, ale na moje oko ten duży pokój na dole nie wygląda najgorzej. – Ramię kierowcy pokrywała pajęczyna. – Ma pani świece? Tam nie ma prądu. Jutro ktoś z miasteczka na pewno pani pomoże. Ja bym pomógł, ale muszę wracać... I niech pani nie panikuje.

– Tak, tak, ma pan rację, trzeba wziąć się w garść – powiedziała mama Jędrka płaczliwym tonem i z trudem przybierając postawę osoby zrównoważonej, wskazała na ciężarówkę. – Mogą panowie wnosić rzeczy. Jędrek! Co ty tam robisz? Chodź, pomożesz panom! I poszukaj świec, powinny być w zielonej torbie...

Jędrek pojawił się, trzymając w ręku wielki świecznik.

– Stał w przedpokoju.

– Świetnie! Świecznik już mamy! – Mama Jędrka klasnęła w dłonie i pobiegła w stronę ciężarówki.

– Biedni ludzie, nie wiedzą, co ich tu czeka – szepnęła Ania.

– Piotrek, idziemy, obiecałeś.

To powiedziawszy, powoli zaczęła się wycofywać w stronę ogrodzenia. Piotrka nadał paliła ciekawość, ale wiedział, że jest późno i trzeba już wracać. Ach, jak żal mu było tego, co może się tutaj wydarzyć, a czego nie zobaczy. Smętnie podążył za siostrą.

Wychodzili przez dziurę w ogrodzeniu i wtedy właśnie zobaczył ich Jędrek. W pierwszej chwili miał ochotę zawołać, podbiec do nich, jednak głowy dzieci tylko mignęły w szczelinie i natychmiast znikły w ciemności. Później dowie się, kim są. Teraz miał większy problem. Jak przeżyć noc w tym strasznym miejscu? Spojrzał na ciemną bryłę domu, który nijak nie przypominał przytulnego gniazda rodzinnego. W pewnej chwili zdawało mu się, że w małym okienku na spadzistym dachu dostrzega smugę światła. Może mama zwiedza dom? Zerknął w stronę ciężarówki. Mama nadzorowała właśnie rozładunek bagaży, podnosząc co chwila alarm, gdy pakunek okazywał się zbiorem kruchych przedmiotów. To nie mama ani żaden z mężczyzn. Poczuł lęk, ale natychmiast wziął się w garść – smuga światła to na pewno odbicie księżyca lub zwykłe przywidzenie – nie ma się czego bać.

– Jędrek, no naprawdę, widzisz, co się dzieje, pomóż – ponaglała go mama. – I tak część pakunków zostanie w ogrodzie, nie damy rady ze wszystkim. Najpierw wniesiemy te paczki, potem meble.

– Pani wie, że łóżko na końcu, bo inaczej choroba w domu będzie? – Kierowca wyglądał na znawcę przesądów związanych z przeprowadzkami.

– Wiem, najpierw stół albo krzesła, łóżko na końcu, ale czy to jest dom? Niech pan sam powie.

Kierowca darował sobie odpowiedź, podrapał się po głowie i ciężko westchnął.

– Jędrek, łap się za zegar. I poszukaj tych świec, bez nich nie mamy po co tam wchodzić.

Po chwili chłopiec mocował już świece w świeczniku. Mama wyjęła zapałki i wkrótce płomień rozjaśnił małą przestrzeń wokół nich, topiąc ogród w jeszcze większym mroku. Mama Jędrka spojrzała na syna i nieoczekiwanie się zaśmiała.

– Zdążyłeś się nieźle wybrudzić.

Jego ubranie pokryte było kurzem i pajęczynami.

– Myślisz, że wyglądasz lepiej? – Jędrek też zachichotał.

– No, nic to. – Mama potarmosiła go po głowie. – Wchodzimy.

Trzymając świecznik, przekroczyła próg. Uniosła go wyżej, aby światło szerzej rozlało się po przedpokoju, i rozejrzała się. Na podłodze leżały jakieś przedmioty pokryte kurzem, na obu ścianach wzdłuż korytarzyka wisiały obrazy w grubych ramach, również niewyraźne i zabrudzone. Z korytarza prowadziły drzwi do jakiegoś pokoju, a w głębi majaczył zarys schodów na piętro. „Na razie zobaczymy dolny pokój, górę zostawmy na jutro" – pomyślała mama Jędrka i nacisnęła klamkę drzwi prowadzących do pokoju.

To właśnie o tym pomieszczeniu mówił kierowca. Pokój był duży, zupełnie pusty i w porównaniu z zapuszczonym przedpokojem sprawiał o wiele schludniejsze wrażenie. Na środku stał tylko stół o wygiętych, rzeźbionych nogach. Mamie serce szybciej zabiło. Zawsze marzyła o takim stole, ale wszystkie, które wynajdywała w sklepach z antykami, odstraszały zbyt wysoką ceną. Teraz wymarzony stół witał ją w tym odpychającym miejscu i w mamę Jędrka nagle wstąpiła nadzieja. Spojrzała na pokój innym wzrokiem. Co prawda pajęczyny pokrywały ściany, a w powietrzu czuć było zapach kurzu, ale tynk na ścianach wyglądał na zupełnie nienaruszony. To pozwalało wierzyć, że można w tym miejscu spędzić noc. Mama trąciła syna w ramię.

– Nie jest najgorzej, prawda? Możemy tu wstawić łóżka, a rano zobaczymy, co dalej.

Jędrek nie podzielał jej optymizmu. W pamięci miał swój jasny pokój, stanowisko komputerowe i czyste ściany nowoczesnego bloku, w którym mieszkał do wczoraj. Nie chciał jednak psuć mamie z trudem odzyskanego entuzjazmu, kiwnął więc głową, a nawet zmusił się do uśmiechu.

– Jest super – powiedział, choć oboje wiedzieli, że super wcale nie jest.

– Właśnie, super. Jest super – powtórzyła beznamiętnie mama.

Kierowca ze Staszkiem wnieśli niezbędne bagaże, kilka krzeseł, potem długo mocowali się z łóżkami w wąskim przedpokoju. W końcu, gdy zapadła noc, a łóżka stały w pokoju, mężczyźni, nie ukrywając współczucia, pożegnali się i odjechali. Ogród zarzucony był pakunkami, które musiały jednak poczekać do rana. Mama ustawiła świecznik na stole, usiadła na łóżku, a Jędrek na drugim. Popatrzyli na siebie.

– Wytrzymamy tę noc. Jutro na pewno będzie lepiej – powiedziała mama bez przekonania.

2

Mama i syn spędzają pierwszą noc w starym domu. Przeraźliwe odgłosy z górnego piętra zmuszają ich do noclegu w ogrodzie. Rano Jędrek poznaje miejscowe dzieci, rodzeństwo Anię i Piotrka.

Głowa mamy prawie całkiem znikła w walizce. Przerzucała ubrania w poszukiwaniu ręczników i piżam. Na stole z minuty na minutę rósł stos rzeczy. Jędrek siedział na łóżku i z niechętną miną rozglądał się po pokoju. Światło świecy błąkało się po ścianach i suficie, skakało migotliwymi błyskami, a oświetlone nim przedmioty rzucały niespokojne cienie. Z narożnika sufitu jak jasne koronkowe chusty zwisały gęsto uplecione pajęczyny. Nagle po ciemnej, drewnianej podłodze przebiegł podłużny robak i wbiegł pod łóżko. Chłopiec skrzywił się. Czuł się okropnie. Przywykł do pomieszczeń oświetlonych elektrycznym światłem, ciepłych i przytulnych. Miał wrażenie, że bierze udział w jakimś nierzeczywistym zdarzeniu. Wszędzie dostrzegał insekty znane mu do tej pory z filmów przyrodniczych. Można je oglądać w telewizji, ale żyć z nimi pod jednym dachem? W dodatku matka sprawiała wrażenie osoby, której powoli puszczają nerwy.

– Czyżbym nie wzięła ręczników? To przecież niemożliwe! Pamiętam, że je chowałam, oszaleć można, nic nie widzę w tym świetle. Może są w twojej torbie? Jędrek?

– Tak? – spytał, nie odrywając wzroku od tej części łóżka, pod którą wbiegł robak.

– Co ty tak patrzysz na podłogę?

Jędrek spojrzał na mamę, która z ubrudzonym policzkiem i resztkami pajęczyny w potarganych włosach wyglądała tak żałośnie, że postanowił zataić informację o robaku pod jej łóżkiem.

– Nic, nic, tak sobie myślę, że tutaj może być całkiem fajnie.

Mama spojrzała na Jędrka zdziwiona, ponieważ jego słowa zabrzmiały jak radosny, beztroski trel w obliczu jakiegoś straszliwego huraganu pochłaniającego setki ofiar.

– Synek, co ty mówisz? Jak to fajnie? Dobrze się czujesz?

– Babcia mówi, że najgorszy jest pierwszy raz, we wszystkim, potem jest już lepiej.

– Owszem, tak mówi. Ale jej tu nie ma. Gdyby była, zapewniam cię, zmieniłaby swoje słynne powiedzonko – westchnęła mama i odrzuciła na bok kolejną stertę ubrań, wśród których Jędrek dostrzegł również ręczniki.

Mama nie zauważyła ich albo nie chciała – widocznie grzebanie w walizce wydało jej się jedynym sensownym zajęciem, jedynym, które mogło ukoić jej skołatane nerwy. Jędrek wstał z łóżka i podszedł do stołu. Dwoma ruchami ręki wygrzebał spośród ubrań poszukiwane rzeczy i lekko trącił ją w ramię. Mama oderwała wzrok od pustego dna walizki, gdzie już tylko cudem mogły zmieścić się dwa wielkie ręczniki kąpielowe.

– Znalazłeś? Gdzie? – Popatrzyła na Jędrka tak, jak gdyby ręczniki były grudkami złota z Gór Skalistych znalezionymi wreszcie po wielu latach przepłukiwania kamieni i piasku.

– Było ciężko, ale dałem radę. – Kątem oka zauważył, że robak spod łóżka matki podstępnie przemieścił się pod jego. Po plecach przeszedł mu dreszcz. Miał nadzieję, że zanim pójdzie spać, obrzydliwy wędrowniczek znów wbiegnie pod mebel mamy.

– Jędruś, myjemy się i kładziemy spać. Jutro na wszystko spojrzymy innym okiem, zobaczysz.

Jędrek wiedział, że mama w gruncie rzeczy pocieszała bardziej siebie samą niż jego, ale nie skomentował tego. Zastanowiło go natomiast, ile czasu upłynie, zanim w tym bałaganie znajdą przybory do mycia. Miał cichą nadzieję, że będą szukali ich na tyle długo, aż mama podda się w końcu i nie trzeba będzie przechodzić do łazienki przez ciemny korytarz. Sama łazienka również nie stanowiła kuszącej perspektywy. Mama dość szybko znalazła mydelniczkę i zarzuciwszy ręcznik na ramię, sięgnęła po świecznik.

– No, to idziemy – powiedziała niepewnie i ruszyła do drzwi. Jędrek niechętnie podążył za nią.

Drzwi uchyliły się ze skrzypnięciem, płomień oświetlił odrapane z tynku ściany korytarza. Smuga światła padła na wiszące w korytarzu stare obrazy. Dopiero teraz Jędrek mógł przyjrzeć się im nieco dokładniej. Na jednym z nich ktoś uwiecznił portret starego szlachcica w dumnej pozie, z sumiastymi wąsami, dłońmi złożonymi na piersiach i z pięknym pierścieniem na palcu. Na drugim obrazie, o wiele mniej wyraźnym i bardziej zniszczonym, Jędrek zauważył jedynie zarys ciemnej postaci.

Mama w tym czasie podeszła do drzwi łazienki i nacisnęła klamkę. Jak można się było domyślić, również i tych drzwi nikt od dawna nie oliwił, bo skrzypiały jak stary kufer babci Ludki. Prawie równocześnie zajrzeli do środka. Ściany łazienki straszyły rdzawymi zaciekami, armatura przy wannie i umywalce wyglądała na zapuszczoną i zardzewiałą. Świecznik zadrżał w dłoni mamy. Do wnętrza wanny woleli już nie zaglądać.

– Mamo... Ja wiem, to okropne iść spać bez mycia, ale...

– Zgoda.

– To znaczy? – Jędrek spojrzał na mamę z nadzieją.

– To znaczy, że dziś zarządzam dzień brudasów. Będziemy go obchodzić hucznie raz w roku. Który jest dzisiaj?

– Dziesiąty sierpnia.

– Świetna data. Dziesiąty sierpnia już zawsze będzie szczególnym dniem. A ten dom początkiem czegoś nowego.

Nawet nie wiedziała, jak prorocze okażą się jej słowa.

• 5642484

Z ulgą opuścili łazienkę i wrócili do pokoju. Mama usiadła na łóżku, ułożyła dłonie na kolanach w tak bezradny sposób, że Jędrek podszedł do niej, usiadł obok i spojrzał zatroskany. Chciał powiedzieć coś, co wyrwałoby mamę z przygnębienia.

– A wiesz, babcia mówi, że sen w nowym miejscu zawsze się sprawdza.

– Czuję, że będę mieć same koszmary, lepiej nie.

Teraz i mama dostrzegła robaka sprintera, ale podobnie jak jej syn postanowiła zataić przed nim obecność insekta. Gdy atmosfera stała się ciężka i kiedy Jędrek zaczął się obawiać, że lada chwila mama wybuchnie płaczem, stało się coś dziwnego. Chłopiec poczuł, że ogarnia go nagle uczucie lekkości i niezwykłego wprost spokoju. Mama musiała poczuć coś podobnego, bo smutek zniknął z jej twarzy, a jej piwne oczy zaśniły wesoło, jakby nagle do pokoju wleciał dobry duszek i rozrzucił niewidzialne kropelki pozytywnych myśli.

– Jeszcze nigdy nie mieliśmy tak zwariowanego domu – zachichotała mama. – To jest wyzwanie! Musimy stawić temu czoło! Damy radę?

– Damy! – zaśmiał się Jędrek.

– Jesteś ze mną? Trzymamy się razem? Jak muszkieterowie?

– Trzymamy się!

– No to bombowo! – Mama trąciła go w ramię. – A teraz spać!

Gdy oboje wsunęli się w śpiwory, zdmuchnęła płomień świecy i w pokoju zapadła ciemność. Ciemność, która nie panuje w żadnym miejskim pokoju, rozświetlanym odblaskiem świateł samochodów lub ulicznych latarni. To była najczarniejsza ciemność, jaką znali. Łóżko mamy stało pod oknem, Jędrka nieco dalej, rozdzielał je drewniany stół. Oboje wiedzieli, że żadne z nich nie śpi. Jędrek nasłuchiwał i wciąż miał wrażenie, że coś po nim łazi. Doznanie było tak silne i nieprzyjemne, że chłopiec nerwowo drapał się po całym ciele

21

i przewracał z boku na bok. Z mamą było chyba podobnie, bo Jędrek słyszał, jak co jakiś czas trzepie nerwowo rękami po powierzchni śpiwora.

– Wiesz, mamo, najważniejsze, że tutaj nie ma robaków. – Sam zdziwił się, że to mówi.

– Tak, to jest dobre. Ani jednego. Nawet takiego, który biega jak sprinter. W ogóle żadnego. – Mama starała się, aby jej głos brzmiał wiarygodnie. – Śpij.

Ale Jędrek nie usnął. Miał wrażenie, że nie są sami. Dom podejrzanie trzeszczał i skrzypiał. Chłopiec gotów był przysiąc, że na górze słyszy czyjeś kroki i szurania, a po piętrze ktoś chodzi, przesuwa meble i stuka. Wpatrywał się w sufit. W słabym świetle księżyca, który rozrzedził nieco ciemność, widać było jego otwarte, przerażone oczy. W pewnej chwili z góry już dość wyraźnie dotarł do niego odgłos wywracanego przedmiotu, mogło to być coś szklanego i krągłego, bo poturlało się po podłodze.

– Mamo? – Miał nadzieję, że jeszcze nie śpi.

– Słyszałam. Nie przejmuj się, wiatr coś przewrócił. – Najwyraźniej mama tak jak Jędrek wsłuchiwała się w odgłosy domu.

– Mamo, tylko że dzisiaj nie ma wiatru.

Nie skomentowała tego. Nie chciała, by zdradziło ją drżenie głosu. W tej samej chwili na górze znowu coś upadło. Tym razem wydało dźwięk głuchy i matowy – mogło to być coś dużego, ale miękkiego.

– Mamo, może pójdziemy na górę i sprawdzimy, co tam jest?

Mama usiadła na łóżku. Zapaliła świecę. Jędrek w świetle płomienia zobaczył jej przybrudzoną twarz i potargane włosy. Pomyślał, że z takim wyglądem mogłaby skutecznie konkurować z każdym potworem, który zagnieździł się na piętrze, ale zachował to spostrzeżenie dla siebie. Mama uniosła świecznik i zerknęła na sufit. Nie miała ochoty sprawdzać, co kryją ciemności domu, a tym bardziej stawać oko w oko z tym czymś, co najpierw się turla, a potem miękko przesuwa po podłodze.

– Pamiętasz? Mówiłam ci, że pierwsza noc w nowym domu jest najtrudniejsza. Każde mieszkanie, dom, miejsce ma swoje odgłosy i dźwięki, do których trzeba się po prostu przyzwyczaić, oswoić z nimi, potem już się ich nie słyszy.

– Nie mówiłaś.

– Może nie mówiłam, więc teraz mówię.

– Czyli turlanie się szklanych przedmiotów i skakanie czegoś miękkiego po podłodze to typowy dźwięk tego domu?

– To w ogóle nie jest typowy dźwięk – przyznała mama słabym głosem.

– Jak chcesz, to pójdę sam.

– O nie, jeszcze czego. Jeśli mamy iść, to razem.

Wstała z łóżka i włożyła kapcie. Westchnęła i dała chłopcu znak, żeby szedł za nią. Ostrożnie wyszli z pokoju.

• • •

W tym samym czasie w miasteczku, dwa kilometry od dworku, Ania i Piotrek, leżąc w łóżkach przy zgaszonym świetle, prowadzili szeptem rozmowę. Nowi mieszkańcy strasznego domu cały czas zaprzątali ich uwagę.

– Piotrek, jak myślisz, jak tam jest? – Ania czuła ulgę, że nie jest na miejscu Jędrka. Nie była zbyt odważna, ale teraz bardziej niż własny strach obchodził ją los miłej z wyglądu kobiety i jej syna. Bardzo im współczuła, że muszą spędzić noc w takim miejscu.

– Myślę, że już po nich. Wiesz przecież, co się stało rok temu z Antkiem Koziołem, kiedy wdarł się tam w nocy?

– Antek dostał się tam, żeby coś ukraść... I nic wielkiego mu się nie stało, upadł i tylko nogę złamał.

– Nie jedną, ale dwie, i nie spadł, tylko ktoś zepchnął go ze schodów, nie pamiętasz, jak opowiadał?

– Antek różne rzeczy mówi. Ja tam mu nie wierzę.

– Ale nie powiesz mi, że w tym domu nic się nie dzieje? – Piotrek nie przestawał potęgować nastroju grozy.

– Tego nie mówię. Jak pomyślę, że oni tam teraz są... brrr... straszne. – Ania nasunęła kołdrę na twarz.

Piotrek przełknął ślinę. Wyobraził sobie dramatyczne sceny, które dzieją się teraz w dworku. Niemal widział Jędrka i jego mamę, jak walczą z potworami, strachami i upiorami wychodzącymi z każdego kąta domu. Fantazja podpowiadała mu wydarzenia, które mroziły krew w żyłach, a przecież i on nie chciał, żeby temu chłopakowi oraz jego mamie stało się coś złego. Tak naprawdę liczył trochę na to, że jego rozsądna siostra powie coś uspokajającego, coś, co osłabi nieco siłę jego wyobraźni. Ania umiała przecież wszystko załagodzić. Jednak tym razem nawet ona nie mogła wymyślić nic pocieszającego.

– Pójdziemy tam rano, dobrze? Zobaczymy, co u nich. – Piotrek żałował już, że wywołał przed snem temat nowych przybyszy.

– Tak, musimy, może trzeba będzie biec do kogoś po pomoc? – Ania obmyślała właśnie plan pierwszej pomocy.

– Myślisz, że będzie potrzebna?

– Nie wiem, nigdy nic nie wiadomo...

• • •

Mama i Jędrek wchodzili powoli na piętro, rozglądając się na wszystkie strony. Drewniane, zniszczone schody trzeszczały pod ich stopami. Płomyki świec oświetlały najwyżej dwumetrową przestrzeń wokół nich. Reszta ginęła w mroku. Dotarli wreszcie na piętro, gdzie po obu stronach krótkiego korytarzyka znajdowały się wejścia do dwóch pokojów. Drzwi do jednego z nich były uchylone. To właśnie ten pokój znajdował się nad salonem, w którym spali.

– Wchodzimy? – spytał cicho Jędrek.

– Zanim wejdziemy, najpierw zajrzymy. Tak podpowiada mi intuicja.

– No to zajrzyjmy.

– Jejku, ale ty jesteś niecierpliwy, czekaj... Złapię oddech.

Mama westchnęła głęboko, zrobiła krok do przodu i wsunęła ostrożnie głowę w szparę uchylonych drzwi. Nie mogąc niczego dostrzec, zrobiła krok do przodu, a Jędrek przesuwał się tuż za nią. Nagle – tuż przed ich twarzami – zatrzepotało coś, obiło się kilkakrotnie o ścianę przy drzwiach i wydało z siebie straszliwy skrzek – trudno to było nazwać piskiem czy innym odgłosem. Jędrek krzyknął, a wystraszona mama wypuściła z rąk świecznik, który upadł na ziemię. Świece zgasły i na piętrze zrobiło się zupełnie ciemno. Jędrek po omacku odszukał rękę matki i złapał się jej kurczowo. Odgłos nie powtórzył się. Wszystko ucichło.

– Wynosimy się stąd, szybko! – krzyknęła mama i skierowała się ku schodom prowadzącym na dół.

– Mamo? Co to było? – drżącym głosem zapytał Jędrek.

– Nie mam pojęcia! I nie będę się teraz nad tym zastanawiała, chodź!

Biegli po schodach, trzymając się chybotliwej poręczy. Jędrkowi ze strachu serce biło tak mocno jak wtedy, gdy pod nieobecność rodziców po raz pierwszy obejrzał horror w telewizji. Przerażeni dotarli w końcu do pokoju na dole. Tylko dzięki księżycowej poświacie byli w stanie cokolwiek dostrzec. Mama ściągnęła z łóżka śpiwory.

– Jędrek, śpimy w ogrodzie. Mam wrażenie, że na zewnątrz będzie bezpieczniej.

W ogrodzie było dość jasno, bez trudu znaleźli miejsce najgęściej pokryte trawą, co dawało szansę na w miarę wygodne spanie. Ułożyli śpiwory blisko siebie, aby ogrzewać się nawzajem, bo chociaż sierpniowa noc była ciepła, od ziemi bił niemiły chłód. Wsunęli się w śpiwory, a po chwili Jędrek usłyszał szept mamy:

– Jestem tak zmęczona, że jest mi już wszystko jedno.

Więcej już nie słyszał. Usnął.

● ● ●

Ania i Piotrek wstali wcześniej niż zwykle. Wakacje dawały możliwość długiego wylegiwania się w łóżku i zazwyczaj tak właśnie robili, ale nie tym razem. Rodzice zdziwili się, widząc ich ubranych i gotowych do wyjścia o ósmej rano. Mama, ziewając, spytała, co ich napadło, aby wstawać o tak zabójczej porze.

– Dzień taki piękny, pomyśleliśmy, że nie będziemy go tracić i wyjdziemy wcześniej – odparł Piotrek z czarującym uśmiechem. Jemu naginanie prawdy wychodziło lepiej niż Ani, która gdy trzeba było coś ukryć, zaczynała się jąkać i zacinać.

Mama zdążyła jeszcze spytać o śniadanie, lecz gdy Piotrek zapewnił ją, że już zjedli, machnęła tylko ręką i znikła w łazience. Usłyszeli jeszcze, jak przypomina im o obiedzie, i wybiegli z domu.

Dom Ani i Piotrka był nieduży, jednopiętrowy; wyglądał jak kwadratowe pudełko. Otaczał go mały ogródek, w którym ich mama od dwóch lat starała się stworzyć efektowny klomb, ale nigdy nie starczało jej na to czasu i cierpliwości. Dzieci otworzyły furtkę i piaszczystą drogą prowadzącą obok podobnych, kwadratowych domków ruszyły w stronę starego dworku.

Wszystkie domki otoczone były przez ogrody pełne kwiatów. Najpiękniej prezentował się ogród pani Piechaczowej, która uważała, że najwspanialsze okazy muszą rosnąć od frontu. Po co ukrywać je za domem? Nikt z przechodzących drogą nie zwróciłby wtedy na nie uwagi. A tak zawsze mógł wpaść w zachwyt: „Och, jakie piękne kwiaty. Czyj to ogród?”.

A ktoś inny, lepiej poinformowany, kto akurat przechodziłby drogą, mógł na to odpowiedzieć: „Jak to czyj? Pani Piechaczowej".

Na tyłach domu również rosły kwiaty, ale znajdował się tam także kurnik. Pani Piechaczowa była jedyną w okolicy właścicielką kur, ptaków na tyle mało reprezentacyjnych, że bez uszczerbku dla niczyjego zmysłu estetycznego można je było trzymać z dala od ludzkiego wzroku.

Inni sąsiedzi mieli w ogródkach kolorowe, gipsowe krasnale, grzybki, a nawet żółte kaczuszki. Anię i Piotrka śmieszyły te nieruchome i dziecinne imitacje, które często przestawiali dla żartu z miejsca na miejsce. Rodzeństwo nigdy nie zostało na tym przyłapane i być może któryś z właścicieli krasnali wierzy, że ma w ogrodzie „wędrujące" figurki.

Ania i Piotrek szli szybko, pchani niespokojną ciekawością, co też porabiają w dworku nowi właściciele i czy nic im się nie stało. Piotrek znacznie wyprzedzał siostrę, która choć o rok starsza, była niższa i drobniejsza, więc i kroki stawiała mniejsze.

– Jejku, Piotrek, nie tak szybko...

– To nie ja idę szybko, tylko ty się wleczesz – mruknął lekko zdyszany brat, ale zwolnił i poczekał, aż Ania dołączy do niego. Uważał, że jego siostra i tak należy do lepszego gatunku dziewczyn – nie skarżyła, a nawet kryła go przed rodzicami i miewała fajne pomysły.

Po kilku minutach zbliżyli się w końcu do wysokiego, drewnianego ogrodzenia otaczającego dom i ogród. Przez swoje tajne przejście, dziurę po jednej sztachecie, bez trudu przecisnęli się do wewnątrz.

Na pierwszy rzut oka wszystko wydawało się w największym porządku, o ile w ogóle można było powiedzieć o tym miejscu coś takiego. Żadnych śladów walki, rozrzuconych, podartych ubrań czy połamanych desek. Ostrożnie zagłębiali się w ogród, rozglądając się i nasłuchując. Nagle Ania mocno chwyciła brata za rękę, aż syknął z bólu.

– Oj, Anka, no co ty? – Piotrek spojrzał zdziwiony na siostrę.

– Widzę ich ciała... Leżą tam, pod drzewem... – Ania patrzyła w jakiś punkt w ogrodzie.

Piotrek podążył za jej wzorkiem i oniemiał. Poczuł, że serce podchodzi mu do gardła. Kilkanaście metrów od nich, na trawie leżały w śpiworach zupełnie nieruchome dwa ciała. „A więc stało się – pomyślał Piotrek. – Ten dom jest przeklęty". Miał teraz ochotę uciec stąd jak najdalej. Dał siostrze znak, żeby czym prędzej zmykać, ale ku jego zdziwieniu Ania nie miała zamiaru nigdzie uciekać. Zawsze przerażało ją to co niewiadome, ale kiedy już stało się to, co stać się miało, natychmiast odnajdywała w sobie odwagę i instynkt ratownika.

– Musimy to sprawdzić, chodź. – Pociągnęła brata za koszulkę.

– A co tu sprawdzać? To coś ich zeżarło, a resztki pochowało do woreczków.

– To nie woreczki, tylko śpiwory, i może da się jeszcze coś zrobić.

– Ja tam nie podejdę, mowy nie ma.

– To nie, sama do nich pójdę.

Ania zdecydowanym krokiem ruszyła ku leżącym. Piotrek zrobił w tył zwrot i zaczął biec w stronę ogrodzenia, ale nagle się zatrzymał. Nie mógł zostawić siostry samej, bowiem jeśli to coś, co rozprawiło się z przybyszami, znajdowało się jeszcze w dworku, gotowe było i ją zaatakować. Żal byłoby stracić taką siostrę. A i rodzice mogliby nie zrozumieć. Tak czy inaczej nie mógł uciec bez niej. Zawrócił.

– Sprawdzimy i od razu idziemy, dobra?

– Wydaje mi się, że to nieznane jeszcze całkiem ich nie zjadło. – Ania zachowywała spokój zawodowego kryminologa, aż Piotrek zerknął na nią z podziwem.

Podeszli bliżej do ciał i stanęli. Byli teraz o metr od pierwszego, drugie leżało trochę dalej.

– Wyglądają, jakby spali. – Ania spokojnie analizowała stan ofiar ogrodowych.

– Jak umarła babcia Karola, to też tak wyglądała – odparował Piotrek, pragnąc jednak, aby tym razem jego słowa nie okazały się trafną diagnozą.

Ania pierwsza zebrała się na odwagę. Podniosła z ziemi gałązkę starej jabłoni i lekko szturchnęła śpiwór. Nic się nie stało. Ciało nadal leżało nieruchomo.

– Może jabłkiem? – zaproponował Piotrek.

– I czym jeszcze? Może kamieniem? Piotrek, nie chodzi o to, żeby im zrobić krzywdę, rozumiesz?

– Rozumiem jedno – lepiej stąd iść.

– E tam. – Ania prychnęła, zdecydowanym ruchem złapała za materiał śpiwora i szarpnęła.

Ciało poruszyło się nagle i zajęczało.

Wystraszone dzieci odskoczyły.

– Ja chyba już nie żyję... – wydobył się ze śpiwora żałosny, kobiecy głos.

– Nam też się tak zdaje – szepnął Piotrek, trzymając się w bezpiecznej odległości od rosłego zawiniątka.

– Jak mnie wszystko boli... o Boże... – usłyszeli ponownie narzekanie, lecz ze środka nadal nikt się nie wynurzał.

– Jeśli boli, to chyba pani żyje – roztropnie zauważyła Ania.

– Matko, w dodatku słyszę głosy... – Rodzeństwo usłyszało odgłos suwaka i ze środka śpiwora wyjrzała mama Jędrka.

Ich reakcja na jej widok była odruchowa i niekontrolowana. Oboje krzyknęli ze strachu. Tak właśnie mniej więcej wyobrażali sobie wygląd nieznanego i groźnego cosia. Bladość twarzy podkreślająca dramatycznie przekrwione oczy, policzki przeorane ciemnymi smugami kurzu i roztrzepane, sterczące na wszystkie strony włosy.

Okrzyk dzieci wstrząsnął zawartością drugiego śpiwora, bo poruszył się gwałtownie.

– Dzieci, dlaczego krzyczycie i co tu robicie? – Mama Jędrka powoli wypełzała ze śpiwora.

W tej chwili z drugiego śpiwora wysunęła się powoli głowa Jędrka.

– Oni byli tu wczoraj, widziałem ich. – Chłopak spojrzał na mamę i zamrugał oczami. – Mamo... dziwnie wyglądasz...

– To znaczy, że nic was nie pożarło? – wypalił Piotrek.

Ania chrząknęła i szturchnęła brata w ramię.

– Mój brat żartuje. On miewa koszmary senne. Przecież widać, że nic nikogo nie pożarło...

– No tak – bąknął zmieszany Piotrek.

– Baliśmy się, że coś się stało – dodała Ania.

Mama Jędrka wstała i natychmiast złapała się za krzyż. Gdy przeciągała się ze zbolałym wyrazem twarzy, coś zatrzeszczało jej w kościach.

– Sama nie wiem, czy nic się nie stało, wszystkie kości mnie bolą. I chyba włosy mam trochę potargane.

Dzieci przemilczały niezwykle łagodną w tej sytuacji ocenę włosów. Nie ma co ukrywać – mama chłopca wyglądała upiornie. Jędrek wylazł ze śpiwora i podszedł do nich. Piotrek ocenił, że taki chudzielec na pewno nie dałby rady żadnemu strachowi.

– Podglądaliście nas wczoraj, prawda? – spytał zaczepnie Jędrek.

– Jędrek, to nasi pierwsi goście, bądź grzeczny... I nie wiem, czy nie będą jedynymi, to miejsce jest straszne.

– Nie podglądaliśmy – mruknął Piotrek, patrząc spode łba na Jędrka.

– Jak to nie? Widziałem, jak chowaliście się po krzakach.

Ania postanowiła wtrącić się do rozmowy i załagodzić napięcie.

– Zbieraliśmy jabłka. Są kwaśne jak nie wiem co, ale ciocia Janka i tak potrafi zrobić z nich pyszną szarlotkę. Nie wiedzieliśmy, że w tym domu ktoś zamieszka, bo...

– ...bo nikt normalny... – zaczął Piotrek, ale Ania kopnęła go w kostkę, więc syknął tylko i uciszył się.

– Wszystko jest w porządku, dzieci, nic się przecież nie stało. Jędrek, przynieś mi tu fotel, stoi koło agrestu. Muszę pomyśleć.

Jędrek pobiegł po wiklinowy fotel, który mama tak bardzo lubiła. Ania i Piotrek spojrzeli po sobie, nie bardzo wiedząc, co zrobić. Z jednej strony, kiedy uspokoili już swoją wyobraźnię, korciło ich bardzo, aby zostać. Z drugiej, czuli, że nie wypada. Byli tu w końcu intruzami. Mama Jędrka, mimo że przygnębiona i walcząca z bólem kości po nocy spędzonej na twardej ziemi, zauważyła rozterkę dzieci.

– Zostańcie z nami, będzie nam bardzo miło – powiedziała i westchnęła głęboko.

Spojrzała na dom, który w świetle dnia wyglądał jeszcze smętniej niż poprzedniego wieczoru. Jędrek przyniósł fotel i ustawił go tyłem do domu, tak aby zwrócony był ku najładniejszej części ogrodu, gdzie rosły różane krzewy i polne chabry, dziko wysiane tuż przy drzewach owocowych. Mama usiadła, założyła nogę na nogę i zapatrzyła się przed siebie. Biła się z myślami. Nie wiedziała, co zrobić – instynkt podpowiadał jej, że najlepszym wyjściem jest spakowanie wszystkiego i powrót do miasta, ale ponieważ warszawskie mieszkanie zostało już sprzedane, musiałaby zamieszkać ze swoją matką, co groziło drobnymi, ale uciążliwymi sporami i utarczkami. Wiedziała, że jej mąż, Andrzej Rosochacki, podróżnik i naukowiec, z głową w chmurach i wiecznie nieobecny, jest zbyt daleko, aby jej pomóc. W ostatnich latach cały czas poświęcał głównie prehistorycznym szczątkom, dawnym osadom i pozostałościom minionych cywilizacji. I gdy on, gdzieś za oceanem, wraz z innymi naukowcami, w ramach międzynarodowej ekspedycji, grzebał w ziemi, czyścił pędzelkami malutkie, gliniane skorupy, ona miała przed sobą wielką, starą i zakurzoną, zupełnie z jej punktu widzenia prehistoryczną ruinę. Tego domu nie da się oczyścić zwykłym pędzelkiem, ten dom wymagał generalnego remontu, na który nie miała ani pieniędzy, ani sił. Na domiar złego działo się w nim coś dziwnego, jakby tych kilka cegieł uparło się, żeby zniechęcić ich do siebie. Siedząc w fotelu, starała się zebrać myśli i przygotować plan działania. Właściwie cieszyła się, że znalazły się tutaj te dzieci. Nie chciała swoim przygnębieniem zarazić Jędrka – rodzeństwo skutecznie mogło odwrócić jego uwagę.

Tymczasem Jędrek próbował nawiązać kontakt z Piotrkiem i Anią. Było to ich pierwsze i trudne spotkanie. Trudne, bo obie strony nie znały jeszcze swoich zamiarów i charakterów. Z początku chłopcy mocowali się słownie jak dwa psiaki poznające swoje możliwości. Ania przysłuchiwała się temu w milczeniu.

– Mama nie mówiła wam, że nieładnie jest podglądać? – Jędrek usiadł na schodkach przy ganku.

– Nie podglądaliśmy, tylko patrzyliśmy. – Piotrek stał obok i bawił się dzikim winem.

– A dzisiaj? Przyszliście na zwiady? – Jędrek nie przestawał uśmiechać się ironicznie.

– Dzisiaj przyszliśmy zobaczyć, czy nic wam się nie stało. – Piotrek zaczerwienił się ze złości. Ten cały Jędrek zaczynał go denerwować.

– A co miałoby się stać? – Jędrek prychnął i zaśmiał się.

– W tym domu zawsze coś się dzieje. – Piotrek zacisnął zęby.

– Nie boję się zwykłego domu. – Jędrek wzruszył ramionami.

– Ja też nie – odparł butnie Piotrek i postanowił, że nic więcej nie powie już temu pyszałkowi.

– Akurat, widać, że się boisz. – Jędrek przymrużył oczy w uśmiechu.

– Tak? A ty nie? To dlaczego spałeś w ogrodzie? – Piotrek zaśmiał się triumfalnie, zadowolony, że przyłapał Jędrka na słabości.

– Dawno nie słyszałam głupszej rozmowy – wtrąciła się Ania.

Spojrzeli na nią zdziwieni, potem na siebie – i zmieszali się.

– Po co się kłócicie? To głupie jak nie wiem... Ja jestem Ania, a to jest Piotrek, mój brat. Cześć. – Wyciągnęła rękę do Jędrka. Chłopiec wstał i podał Ani dłoń. Uśmiechnął się.

– Cześć. Jestem Jędrek. Masz wyszczekanego brata.

– Tobie też nic nie brakuje – zaśmiała się Ania i szturchnęła Piotrka w plecy. – Ej, no już, pogódź się.

Piotrek z lekkim ociąganiem wyciągnął dłoń i podał Jędrkowi. Pierwsze lody zostały przełamane.

Po chwili dzieci prowadziły ożywioną rozmowę. Rodzeństwo wypytywało Jędrka, skąd przyjechał i jak długo zamierza tutaj mieszkać, a Jędrek pytał o okolicę, miejsca do zabawy, no i oczywiście o dworek.

– To dziwne, że kupiliście ten dom. Tutaj, kurczę, zawsze działo się coś dziwnego, a poza tym nie da się w nim mieszkać, wszystko się sypie – opowiadał Piotrek, kiedy obchodzili dom dokoła. – Nie ma światła... A podobno w nocy na strychu słychać jakieś dziwne odgłosy, jakby ktoś łaził i mruczał. Ja nie słyszałem, ale pan Henio mówił...

– Kim jest pan Henio?

– Pan Henio to nasza złota rączka w miasteczku. Zawsze wszystkim pomoże i wszystko naprawi. Tylko on utrzymuje kontakt ze starym Jakubem, bo on wszystkich lubi i jego wszyscy lubią – wyjaśniła precyzyjnie Ania.

– A kim jest stary Jakub? – Byli teraz na tyłach dworku, gdzie wysokie trawy gęsto obrastały dojście do domu, a gdzieniegdzie walały się stare deski, połamane dachówki i jedna opona, prawdopodobnie od wozu konnego.

– Ponury typ, mieszka pod lasem. Mroczny jak... jak ten dom.

Jędrek chciał jeszcze o coś zapytać, ale rozmowę dzieci przerwało wołanie mamy:

– Jędrek, chodź do mnie! Podjęłam już decyzję, co robimy dalej!

Pobiegli w jej stronę.

3

Dom przeraża domowników. Mama Jędrka nie wie, co robić. Z pomocą przychodzi pan Henio, złota rączka, i samotnik Jakub.

Ewa Rosochacka wycierała twarz ręcznikiem. Nieopodal jej nóg stało wiadro z wodą przyniesione z łazienki. Nawet w dzień łazienka nie nadawała się do używania. Kiedy twarz mamy Jędrka wyłoniła się spod warstwy kurzu, Ania stwierdziła, że ma miły wyraz i w niczym nie przypomina wcześniejszego widma. Pani Rosochacka usiadła na fotelu i rozczesując mokre włosy, wtajemniczała dzieci w swoje plany.

– Po pierwsze, zostajemy. Jeśli człowiek musi w życiu uporać się z nieoczekiwanymi trudnościami i nie ma innego wyjścia, to ja właśnie zamierzam uporać się z tym domem. Po drugie, będę potrzebowała waszej pomocy... drogie dzieci.

Ania i Piotrek spojrzeli po sobie.

– Naszej? – spytała zdziwiona Ania.

– Mhm. Waszej. Znacie to miasteczko, jego mieszkańców, wiecie na pewno, kto mógłby ten dom nieco ucywilizować. Nie wymagam wiele – może trochę prądu, trochę białej farby, kawałek nowej armatury do łazienki...

– My wiemy, kto pani pomoże! – krzyknął Piotrek. – Trzeba pójść po pana Henia!

– Tak, Piotrek ma rację, tylko pan Henio – dodała szybko Ania.

– Jeśli ten pan Henio może nam pomóc, to przywitam go tutaj chlebem i solą.

– Ale pan Henio ma co jeść... – bąknął zdziwiony Piotrek, na co Jędrek roześmiał się.

– To taki dawny polski zwyczaj, honorowego, zacnego gościa witano chlebem i solą. Dla podkreślenia zaszczytu, jaki spotkał dom gospodarzy – spokojnie wyjaśniła mama.

– Jaki tam honorowy, to tylko pan Henio... – Piotrek mimowolnie bronił zwyczajności przed odświętnością. – Lepiej, jak będzie piwo, bo pan Henio lubi...

Mama Jędrka zaśmiała się, a Ania znów stwierdziła, że jest zdecydowanie uroczą osobą.

– Masz rację, piwo lepiej się nada. Czy w takim razie sprowadzicie mi tu pana Henia?

Dzieci kiwnęły głowami, a po chwili biegły już w kierunku swojego tajemnego przejścia, czyli w przeciwnym niż brama wjazdowa. Ewa Rosochacka, myśląc, że dzieci pomyliły drogę, chciała je zatrzymać, ale Jędrek znał już obyczaje Ani i Piotrka.

– Oni dobrze wiedzą, gdzie idą, tam jest przejście.

Mama wyprostowała się dumnie, spojrzała hardo na dom i nadając twarzy waleczny wyraz, wygłosiła poważne ostrzeżenie pod jego adresem:

– Nie wiem, kto cię zbudował, ale musiał mieć poczucie humoru albo zacięcie dramatyczne. Jeśli wydaje ci się, że będziesz tak trwał i roztaczał mroczną aurę, straszył, męczył i odpychał, to nie znasz jeszcze mojego uporu. Zapewniam, że nie odpuszczę żadnego dnia, nie odpuszczę żadnej najmarniejszej godziny, która miałaby mnie zbliżyć do sukcesu. Wyszoruję i naprawię każdą najmniejszą twoją część, bez względu na to, czy będzie ją pokrywać rdza, patyna czy tony kurzu. Strzeż się, bo nadeszła twoja ostatnia godzina!

Jędrek spokojnie wysłuchał tej tyrady, a kiedy mama skończyła i spojrzała zadowolona na niego, oczekując pochwał, zachęt do walki lub co najmniej dzikiego entuzjazmu, powiedział tylko:

– Jestem głodny. Będzie dziś śniadanie?

Z pani Rosochackiej natychmiast uszło powietrze, westchnęła zrezygnowana i kiwnęła głową.

• • •

Ania i Piotrek znów biegli tą samą drogą, tym razem z powrotem, do pana Henia. W drodze do jego domu trzeba było skręcić z piaszczystej drogi w asfaltową uliczkę zwaną przez mieszkańców Wierzbową. Nazwa ta wzięła się od szpaleru wierzb płaczących, które Ania nazywała powłóczystymi, i nikt nie pamiętał już, że uliczce nadano kiedyś nazwę Warszawska. Dom pana Henia nie był duży ani szczególnie zadbany, nie mówiąc o ogrodzie, w którym nie było co prawda popularnego rusztu do grilla ani kwiatów i krasnali z gipsu, ale i tak wszystkie dzieci najchętniej zaglądały właśnie do pana Henia, który zawsze miał dla nich jakiś żart albo wierszyk – sypał nimi jak z rękawa. Potrafił też ładnie opowiadać i fantazjować, a ponieważ dzieci najbardziej ze wszystkiego lubiły słuchać, więc trudno się dziwić, że współpraca międzypokoleniowa kwitła.

Dzieci uchyliły furtkę i weszły do środka. Gospodarz siedział na ganku i dłubał śrubokrętem w jakimś pudełku. Gdy podeszli bliżej, okazało się, że pudełko jest małym radyjkiem, które pan Henio próbuje przywrócić do życia. Pan Henio zsunął okulary na czubek nosa i uśmiechnął się na ich widok.

– O! Ania i Piotrek Galica, z wybryków zna was okolica. Coście tym razem zepsuły, że biegniecie do Henia Deptuły?

Dzieci usiadły na schodkach ganku. Złapały oddech po długim biegu i dość chaotycznie zaczęły zdawać relację z ostatnich wydarzeń.

– ...i wtedy do strasznego domu przyjechała mama z synem... zamieszkali w tej ruinie...

– ...nocowali w ogrodzie, bo coś ich pewnie z domu wygoniło... wyglądali jak po bitwie, włosy taakie, roztrzepane... i w ogóle...

38

– ...i ta pani się załamała... prawie płakała... i kości jej trzeszczały, jak wstawała z ziemi...

– ...Piotrek, nieważne, że trzeszczały, ważne, że oni są bez prądu... i tynk odpada...

– ...i łazienki potrzebują, bo strasznie wyglądają...

– ...a gdy rano umyła się w wiadrze, to okazało się, że jest człowiekiem, a nie widmem...

Pan Henio, nieco oszołomiony, zamrugał oczami. Odłożył na bok radio. Sprawa, z którą dzieci przyszły do niego, wydała mu się zdecydowanie ważniejsza od odbiornika.

– Zaraz, zaraz, powoli... Jeśli dobrze rozumiem, to pojawili się w miasteczku szaleńcy, którzy zamieszkali w strasznym dworku?

Dzieci pokiwały głowami – przecież z ich dokładnej relacji jasno to wynikało! Jak pan Henio może się dopytywać?

– To kobieta z synem, tak? Dlaczego wcześniej nie zrobili remontu? – Ale dzieci nie znały odpowiedzi na to pytanie.

Pan Henio wstał, popatrzył gdzieś w dal, zastanawiając się nad czymś. Mruknął coś pod nosem i kilka razy pokręcił głową, jakby sam z sobą prowadził tajemną rozmowę. W końcu strzelił palcami, gwizdnął pod nosem i przeszedł do działania.

– Biegnijcie do nich i powiedźcie, że niedługo przyjdę. Zrobię, co będę mógł. Tylko migiem.

Dzieci poderwały się jak żołnierze gotowi natychmiast wykonać rozkaz swojego generała. Tylko furtka trzasnęła za nimi i tyle je widział.

Ania i Piotrek drugi już raz tego przedpołudnia pokonywali drogę do dworku. Byli bardzo dumni, że to oni właśnie zostali wybrani na posłów w tak ekscytującej sprawie. Pomoc sąsiedzka stanowiła również dobry pretekst do zbadania całego domu, który do tej pory strzegł pilnie swoich tajemnic. Nie byli pewni, czy Jędrek i jego mama to wystarczające siły do walki z ukrytymi demonami, ale zawsze było to więcej niż nic.

Teraz już wcale nie żałowali, że nie wyjechali na upragnione wakacje nad morze. Gdyby tak się stało, w miasteczku zaszłyby bardzo ważne zmiany bez ich aktywnego udziału czy choćby tylko obecności. Rozpierała ich energia, a Piotrka dodatkowo radość, że Jędrek nie jest zwyczajnym miastowym pyszałkiem. Wizyty w dworku wydawały się teraz przesądzone, więc serdeczność Jędrka była im bardzo na rękę. Ania z kolei czuła się jak sanitariuszka albo co najmniej dzielna łączniczka, niczym ta z powstania warszawskiego, o której opowiadała jej babcia. Oczywiście, walki z upiorami w strasznym domu nie można było porównywać z wyzwaniami wojennymi, ale sama myśl o roli, jaką może odegrać, dodawała jej skrzydeł.

• • •

Gdy słońce rozpoczynało swój seans przedpołudniowej spiekoty, Ewa i jej syn weszli do sklepu. Była to właściwie mała budka otwierana tylko latem. Można w niej było nabyć trochę żywności, tyle że nie najświeższej. Jednak nikt z letników nie narzekał. Oczywiście, dopóki dopisywała pogoda.

W ten piękny sierpniowy dzień ograniczona propozycja spożywcza nie stanowiła jednak żadnego problemu – i tak najważniejsze były napoje i słodycze. Dla Ewy Rosochackiej budka miała w tej chwili jedną, wielką zaletę: była najbliżej domu położonym wodopojem i żerowiskiem.

– Poproszę chleb, ser, masło, piwo, wodę i trzy batoniki – powiedziała z uśmiechem mama Jędrka.

Znudzony i spocony sprzedawca obrzucił przybyszów niechętnym spojrzeniem. Niedbałym ruchem dłoni odgonił kilka much spacerujących beztrosko po ladzie.

– Nie ma chleba.

– To poproszę bułkę.

– Bułka jest wczorajsza.

– Poproszę wczorajszą.

Sprzedawca leniwie sięgnął po bułkę, ostatnią na półce, zgniecioną z jednej strony i być może dlatego wzgardzoną przez innych klientów.

– Co jeszcze? – Zapamiętanie wyliczonych przez panią Ewę produktów przerastało możliwości sprzedawcy.

– Jeszcze: masło, ser, butelkę piwa, wodę i batoniki.

– Ser jest zeschły.

– Wysechł dopiero wczoraj czy sechł przez miesiąc? – zaryzykowała pani Ewa i od razu pożałowała, bo sprzedawca zmrużył oczy i w zamyśleniu wbił wzrok w sufit. Zapowiadało się długotrwałe szacowanie czasu schnięcia sera. Jędrek zachichotał, mama westchnęła. – Wie pan co? Ja w takim razie zamienię ser na dżem. Dżem jest zamykany hermetycznie, prawda?

– Ma pokrywkę.

– Szczelną?

– Pewnie, od trzech miesięcy żadna mucha się nie dostała. Podać?

– Nie, jednak odeszła mi ochota na słodkie. Poproszę masło, wodę, butelkę piwa i batoniki.

– Batoniki są słodkie... – powiedział z naciskiem, zadowolony, że złapał ją na niekonsekwencji. – Ale mogę dać.

– Będę wdzięczna.

Szczęśliwie sprzedawca spakował w końcu resztę produktów do torby i obdarzył klientów porcją spontanicznej życzliwości.

– Państwo pewnie z ośrodka wczasowego? Dobrze się wypoczywa? Jak karmią?

Pani Ewa wzięła od sprzedawcy torbę i podała Jędrkowi.

– Nie jesteśmy z ośrodka. Mieszkamy w dworku. Tu, niedaleko.

Po tych słowach spocony sprzedawca zmienił się na twarzy. Wytrzeszczył oczy.

– W dworku? Niemożliwe... Tam, gdzie w nocy upiory grasują?

– Dziękuję, też lubię ten dom.

– Nie chcę pani straszyć...

– Nie, skąd, proszę sobie nie żałować.

– ...ale moim zdaniem powinna pani wynieść się stamtąd, i to od razu.

– Tak, wiem. Dziękuję panu i do widzenia. Chodź, Jędrek.

Ewa wyszła z budki i ruszyła z synem w drogę powrotną. Sprzedawca wyszedł za nimi na drogę, otarł fartuchem pot z czoła i krzyknął jeszcze:

– Proszę pani, niech pani dziecko przynajmniej ratuje!

Wracali do domu w milczeniu, rozglądając się z ciekawością dokoła. Mimo męczącej nocy i nerwowego poranka Jędrek musiał przyznać, że okolica była urokliwa, ładniejsza od najpiękniejszego miejskiego parku. Po obu stronach drogi kołysały się kłosy zbóż, świerszcze wygrywały czerwonym makom cklive refreny, a w oddali, w drzewnej oazie, liście brzóz migotliwie połyskiwały w słońcu. Powietrze rozgrzane od sierpniowego upału męczyło i zatykało, ale miało też zapach – słodkawy i przyjemny. Jędrek nie przypuszczał do tej pory, że powietrze może mieć tak ładny zapach. W tym słonecznym krajobrazie ciemną plamą odznaczała się tylko kępa drzew otaczających dworek. Dalej, już na horyzoncie, widać było zarysy domów pobliskiego miasteczka. Na mamę przyroda musiała podobnie podziałać, bo uśmiechnęła się do siebie, podeszła do skraju drogi i zerwała polny kwiat. Powąchała go, ale nic nie poczuła. Polne kwiaty odurzają tylko w bukiecie, pojedynczy kwiat prawie nie pachnie. Mama zupełnie się tym nie zmartwiła.

– Wiesz, może uporamy się z tym domem i da się tutaj wytrzymać.

– Tylko co tutaj można robić?

– Możemy spokojnie oddychać, to dużo, synku. Nawet nie wiesz, jak bardzo jest mi to teraz potrzebne.

Bał się tych niebezpiecznych drżeń w jej głosie, już wolał, gdy znajdowała się w bojowym nastroju. Nie lubił, gdy smuciła się i żaliła, ponieważ nie wiedział wtedy, co robić. W jego dziecięcej głowie majaczyły co prawda jakieś słowa pełne ciepła i otuchy, ale zdołał jedynie wydusić:

– Będzie dobrze, mamo. – Zabrzmiało nieco szorstko, ale swobodnie.

– Pewnie, pewnie. Czeka nas raptem oczyszczenie domu z kilku ton kurzu, dwustu demonów i kilku oddziałów robali... Co to dla nas... – zaśmiała się mama, a Jędrek stwierdził z ulgą, że jej posępny humor okazał się tylko chwilowy.

• • •

Ania i Piotrek od dawna byli już w ogrodzie i leżąc w trawie, czekali na Jędrka i jego mamę. Rozmawiali cicho i spoglądali od czasu do czasu na dom. W dzień sprawiał mniej mroczne i groźne wrażenie niż wieczorem i w nocy, ale i tak mógł zniechęcić do siebie największego entuzjastę. Mimowolnie wzrok dzieci kierował się ku małemu okienku na dachu, za którym ich zdaniem znajdowało się źródło tego czegoś nienazwanego, co roztaczało ponurą aurę na cały dom. Aby ich przeczucie mogło się potwierdzić, musieli jakoś się dostać na strych. Od dawna mieli na to ochotę, a teraz obecność prawowitych mieszkańców umożliwiała otwarcie wrót nieznanego.

– Kiedy pan Henio otworzy drzwi na strych, ja wchodzę pierwszy – oznajmił Piotrek.

– Proszę bardzo, nie spieszy mi się.

– Największa tajemnica miasteczka zostanie rozwiązana. Trochę smutno.

– Wcale mnie to nie martwi – wzruszyła ramionami Ania.

Nagle w ogrodzie trzasnęła gałąź, a po chwili coś z głuchym łoskotem upadło na ziemię, wydając z siebie jęk. Dzieci poderwały się na nogi i rozejrzały dokoła.

Kilkanaście metrów od nich coś dużego i ciemnego podniosło się z ziemi. Krzyknęli przestraszeni i schowali się za pobliską jabłoń. Do głowy od razu przyszła im myśl, że domniemany upiór opuścił dom i zdecydował się teraz pobuszować po ogrodzie. Ale kiedy wyjrzeli zza drzewa, a postać wstała ze stęknięciem i podniosła z ziemi suchą gałąź, przyczynę swojego upadku, rozpoznali w niej Jakuba. Nie było to jeszcze powodem do wielkiej radości, ponieważ mężczyzna miał w miasteczku wyjątkową opinię. Jej wyjątkowość opierała się na niestworzonych historiach opowiadanych przez mieszkańców na jego temat. Mówiono, że po Jakubie wszystkiego można się spodziewać, że włóczy się nocami po ulicach i śpiewa, że skrywa jakąś straszną tajemnicę z przeszłości, najpewniej okrutną zbrodnię, może jest nawet zbiegłym więźniem? Mieszkał w lesie, co czyniło go największym odludkiem w okolicy, i nikt nie utrzymywał z nim kontaktu, ale i Jakub do towarzyskich spotkań też nikogo nie zachęcał. Czasem widywano go nad stawem, gdy siedział nad brzegiem, ni to drzemiąc, ni śpiąc, i mamrotał coś monotonnie.

Ania i Piotrek spojrzeli na siebie. „Co tutaj może robić stary Jakub?". Mężczyzna odrzucił gałąź i ruszył w stronę domu.

– Nie wiesz, chłopcze, gdzie jest pani z tego domu?

Piotrek odważnie wyszedł zza drzewa.

– Nie ma jej, poszła do sklepu.

– Poczekam. – Jakub podszedł do schodków przy ganku i usiadł na jednym ze stopni. Zapanowała niezręczna cisza. Dzieci nie wiedziały, czy powinny z nim rozmawiać, a jeśli tak, to o czym. Piotrek nie spuszczał go z oka, Ania cały czas stała za jabłonią. Kogo jak kogo, ale Jakuba bała się najbardziej ze wszystkiego i przekonanie, że w jej dziewczęcym sercu znajdują się wielkie pokłady odwagi, zostało teraz mocno nadwątlone. Jakub sięgnął do kieszeni. Dzieci wstrzymały oddech. Trudno było bowiem przewidzieć, co taki Jakub może w niej nosić. Jakub wyjął mały drewniany przedmiot, na którego widok aż oczy zaśniły im z zachwytu. Jakub trzymał w ręku najpiękniejszy i najmniejszy zarazem model statku z drewna, jaki kiedykolwiek widzieli. Nawet Ania wychyliła się zza drzewa, nie mogąc opanować ciekawości. Piotrek strasznie chciał obejrzeć statek z bliska, ale nie miał odwagi podejść bliżej.

– Chcecie obejrzeć? Masz.. weź... – Jakub wyciągnął dłoń w stronę chłopca.

Piotrek zrobił krok do przodu. Wahał się przez chwilę, ale w końcu wziął statek od Jakuba. Ania podeszła do brata. Zachwyceni oglądali misternie wykonaną replikę wielomasztowca.

– Sam pan to zrobił?

– Sam.

– To piękne, naprawdę. – Ania nie mogła wyjść z podziwu.

– Jak chcecie, to weźcie, to dla was.

Dzieci spojrzały na Jakuba zdziwione.

– Jak to? My nie możemy, to piękny model... nie, nie, dziękujemy.

– Weźcie... mogę zrobić drugi.

Przez bramę wjazdową wbiegł Jędrek, zaraz za nim weszła Ewa Rosochacka, łagodna i spokojna. Spacer wpłynął na nią kojąco. Pojawienie się domowników wyzwoliło dzieci z niezręcznej sytuacji. Podziękowały Jakubowi i podbiegły do pani Rosochackiej. Jędrek od razu dostrzegł w ręku Piotrka piękny model statku, ale nic nie powiedział.

– Pan Henio mówi, że wszystko naprawi!

Ewa obrzuciła wzrokiem starego Jakuba, a zwłaszcza jego przetarte, znoszone spodnie, przybrudzoną twarz, i trudno się dziwić, że nie wpadła w szaleńczy entuzjazm.

– Pan Henio? Mam dla pana piwo. – Mama Jędrka nadała głosowi beztroskie i serdeczne brzmienie, chociaż myśl, że ten zaniedbany mężczyzna przeprowadzi remont jej domu, wyraźnie ją zaniepokoiła.

– Nie, nie... Proszę pani... to jest Jakub... – cicho wyjaśnił Piotrek.

– Też jakiś majster?

– Nie.. Jakub to... – Ania nie wiedziała, jak go przedstawić. Z pomocą przyszedł jej sam Jakub, który wstał i podszedł do mamy Jędrka.

– Jestem Jakub. Henryk mówił, że trzeba pomóc. Pomogę. Przy drobnych rzeczach. I większych też.

– Tutaj potrzeba właśnie tych większych. Bardzo dziękuję.

Na drodze, przed bramą wjazdową, rozległ się klakson samochodu.

– Jędrek, biegnij, bramę trzeba otworzyć.

Po chwili pan Henio witał się z Ewą Rosochacką. Ściskając dłoń kobiety, mówił z serdecznym uśmiechem:

– Ale z pani jest odważna kobieta, no, no. Zamieszkać w tym domu... To przemyślana decyzja? Nie, niech pani nie odpowiada – od razu widać, że jest pani szalona. – I mrugnął do niej okiem.

Ewie Rosochackiej od razu spodobał się radosny i pogodny pan Henio.

– Proszę pana, ja nie bardzo mam dokąd wrócić, a poza tym... Wie pan, doprowadzić ten dom do stanu używalności to ambitne zadanie, chcę spróbować.

– Ano spróbujemy. Trzeba się brać do roboty. Najpierw obejrzę przewody elektryczne i gazowe. Jakub mi pomoże, on bardzo wiele potrafi.

Jakub stał w milczeniu jak stary Indianin zamknięty w swoim duchowym świecie i czekał na polecenia. Pan Henio wyciągnął z samochodu wielką torbę, typową czarodziejską torbę, której bogata zawartość bez wątpienia mogła posłużyć do naprawy zepsutego świata. Znajdowały się w niej śrubki, pilniki, wkrętaki, śrubokręty, klucze francuskie i katalońsko-patagońskie pewnie też, gumki, kabelki, taśmy izolacyjne oraz mnóstwo innych przedmiotów i cudów o niewiadomym dla zwykłego śmiertelnika przeznaczeniu. Jędrkowi przyszło na myśl, że to nie dysk komputerowy z zapisem najważniejszych odkryć naukowych pomógłby odtworzyć zniszczoną cywilizację, ale właśnie to wszystko, co kryła torba pana Henia. Ewa Rosochacka z panem Heniem i Jakubem weszli do domu. Dzieci zostały w ogrodzie.

– Ładny model, sam robiłeś? – zapytał Jędrek, wskazując na replikę okrętu.

Piotrek podał Jędrkowi miniaturkę na otwartej dłoni.

– Fajny, nie? Jakub zrobił. Poproś go, może i tobie zrobi. Nie wiedziałem, że on potrafi takie coś. W miasteczku wszyscy się go boją.

– Dlaczego?

– Bo jest dziwny. Z nikim nie rozmawia. Mówi do siebie i chodzi w nocy wokół stawu – włączyła się do rozmowy Ania.

– Ktoś, kto robi takie modele, nie może być groźny i zły – stwierdził Jędrek z przekonaniem, a rodzeństwo spojrzało po sobie. Nigdy nie myśleli tak o Jakubie. Prawda, nigdy nikomu nic złego nie zrobił, tylko to jego spojrzenie było jakieś takie...

Jędrek oddał Piotrkowi model.

– Jeśli chcecie, chodźcie do środka, może niedługo otworzymy drzwi na strych.

Rodzeństwu nie trzeba było tego powtarzać dwa razy. Zarówno Ania, jak i Piotrek poczuli, że lubią Jędrka coraz bardziej.

Oboje po raz pierwszy mieli przekroczyć próg domu, który tak bardzo ich intrygował. Nic nie pobudzało ich wyobraźni tak jak ten budynek schowany w dzikim ogrodzie. Nie mieli wątpliwości, że z domem wiąże się jakaś tajemnica i jest już tylko kwestią czasu, kiedy zostanie rozwiązana. Jędrek wprowadził ich do środka. Kiedy przekraczali próg, poczuli niezbyt przyjemny zapach zbutwiałego drewna. Najpierw weszli do dużego pokoju z okrągłym stołem, gdzie panował nieziemski bałagan, jakby rzeczy, podobnie jak domownicy, rozpaczliwie próbowały znaleźć dla siebie bezpieczne schronienie. Mama, pan Henio oraz Jakub zajmowali się skrzynką z zasilaniem elektrycznym, która znajdowała się po przeciwnej stronie korytarza, tuż przy drzwiach prowadzących do kuchni.

– Wydaje się, że wszystko jest w porządku, światło powinno być już za chwilę, przynajmniej na parterze. Co do góry nie jestem pewny, ale może też się uda – stwierdził z przekonaniem pan Henio.

Jego obecność działała na Ewę Rosochacką uspokajająco. Była pewna, że przy jego pomocy powoli doprowadzi ten dom do porządku. Pan Henio jako jedyny nie wznosił okrzyków przestrachu i zdziwienia, nie komentował, po prostu robił swoje.

Tymczasem Piotrek i Ania za namową Jędrka oglądali z zaciekawieniem jego rzeczy: elektroniczne zabawki, zestaw małego astrologa, prawdziwy hełm londyńskiego policjanta i miniaturkę londyńskiej budki telefonicznej, ale zdecydowanie największe wrażenie zrobił na nich komputer. Zawsze o takim marzyli, jednak rodzice odwlekali decyzję kupna. Jędrek obiecał im, że kiedy komputer zostanie podłączony, będą mogli z niego korzystać, kiedy zechcą. To oświadczenie bardzo ich zdziwiło, ponieważ do tej pory o większość rzeczy musieli się ze wszystkimi wykłócać. Jędrek z pewnością nie przypominał żadnego chłopaka z miasteczka.

– No, czas zająć się górą. Zobaczymy, co za potwory tam siedzą. Jakub, chodź. – Pan Henio położył dłoń na poręczy schodów i spojrzał z uśmiechem na pozostałych. – Wycieczka, proszę za mną. Zapraszam wszystkich chętnych.

Dzieci od razu stanęły przy schodach. Tylko mama Jędrka trochę się ociągała.

– Może zobaczycie, co tam jest, i potem mi powiecie? Zaczekam na dole. – Uśmiechnęła się przepraszająco.

– Pani nie może dać się sterroryzować tej ruderze, idzie pani z nami – powiedział pan Henio stanowczo.

– Na strych radzę nie wchodzić, najlepiej go zamurować – mruknął cicho Jakub ze wzrokiem wbitym w podłogę.

– Jakubie, ty też ulegasz przesądom? – Pan Henio prychnął kpiąco. – Wysprząta się go i po strachu, zobaczysz. Chodźmy.

Wszyscy obecni zaczęli wchodzić po schodach. Niemiły zapach butwiejącego drewna bez wątpienia pochodził właśnie od nich. Z jednej strony trzeszczały jak kruchy lód, z drugiej, przenicowane wilgocią, roztaczały specyficzny zapaszek. Pani Ewie ten zapach kojarzył się z Kazimierzem Dolnym, gdzie stare, drewniane, przesiąknięte wilgocią kamienice w podobny sposób zaznaczały swoją obecność. Ale dom, w którym przyszło im mieszkać, nie był tak uroczy jak zabytkowa i zdobiona płaskorzeźbami kamienica na rynku w Kazimierzu. To miejsce raczej odstręczało, niż wyzwalało romantyczne skojarzenia. Pan Henio pierwszy znalazł się w korytarzu pięterka. Przystanął i powstrzymał wszystkich ruchem ręki. Dzieci i pani Ewa stanęli w połowie schodów, Jakub na ostatnim stopniu. Pan Henio położył palec na ustach, nakazując milczenie. Jędrek czuł, że wraca lęk z poprzedniej nocy, kiedy uciekał z mamą, wystraszony dziwnymi odgłosami dochodzącymi z jednego z pokojów. Pani Ewa najchętniej od razu by zawróciła, bo wcale nie była ciekawa tego, co słyszał lub zobaczył pan Henio, ale ponieważ nie chciała wyjść na największe strachajło, powstrzymała chęć ucieczki.

Pan Henio powoli uchylił drzwi do pokoju, tego samego, w którym coś nieznanego tak bardzo przestraszyło Jędrka i mamę poprzedniej nocy. Pozostali, choć i tak ze swojego miejsca nie mogli nic zobaczyć, wyciągali szyje, żeby lepiej widzieć. W ich głowach zrodziła się myśl, że jeśli w środku znajduje się coś paskudnego i żarłocznego, to najpierw zje pana Henia. Myśl ta niekoniecznie była chlubna, ale za to jakąż przynosiła ulgę! Pan Henio zajrzał do środka. Wszyscy wstrzymali oddech. Spodziewali się gwałtownego ataku cosia, który na przykład wczepi się Heniowi we włosy i zacznie szarpać we wszystkie strony albo go ugryzie, albo... cokolwiek. Większość – zwłaszcza dzieci i pani Ewa – widziała już niejeden horror, nieoczekiwany atak był więc zapewne kwestią sekund. Ale nic takiego się nie stało. Pan Henio mruknął coś pod nosem, zamknął drzwi i odwrócił się do nich. Wpatrywali się w niego w napięciu.

– Gniazdo puchacza. Musi tu być od dawna – poinformował cicho.

Gniazdo puchacza? Tylko? Dzieci nie kryły rozczarowania, ale pani Ewie kamień spadł z serca. Puchacz to było coś swojskiego, wyobrażalnego, no i nie tak groźnego jak nieznane.

– Nie mam pojęcia, co się robi z ptakami. Z gniazdkami elektrycznymi wiem, ale ptasimi, niekoniecznie. – Pan Henio nie krył bezsilności.

– Mogę je przenieść w bezpieczne miejsce – odezwał się stary Jakub. – Znam się na ptakach. Tylko muszą państwo zejść na dół, nie można ich wystraszyć.

Jego spokojny, cichy głos w naturalny sposób zmusił wszystkich do posłuszeństwa. Cała wycieczka wycofała się na dół. Nikt nie wiedział, jakiego sposobu użyje Jakub, aby bezpiecznie wynieść gniazdo z domu. Mężczyzna poprosił panią Ewę o stary koc, a otrzymawszy go, wrócił na górę. Zamknął się z ptakami na godzinę. Pan Henio w tym czasie zdążył uruchomić termę w łazience i naprawić uszkodzone gniazdka elektryczne w kuchni i dolnym pokoju. Panią Ewę znowu ogarnęło zniechęcenie. Bojowy i waleczny nastrój sprzed kilku godzin minął bezpowrotnie. Jędrek w towarzystwie Ani i Piotrka podjął próbę podłączenia komputera, ale mama wybiła mu to z głowy. W domu były pilniejsze rzeczy do zrobienia.

Po godzinie usłyszeli, że Jakub schodzi z góry. Wszyscy zgromadzili się przy oknie w dolnym pokoju. Mężczyzna wyszedł na podwórze, niosąc w dłoniach owinięte kocem gniazdo puchacza. Szedł przez ogród w stronę bramy, a nad jego głową leciały spokojnie dwa puchacze. Ptaki poruszały skrzydłami od niechcenia, jakby nonszalancko. Wydało się dzieciom, że oto cały świat spowolnił swój bieg, a jego najważniejszym zadaniem stało się nagle zarejestrowanie tego widoku, tak jak kiedyś pierwszego niemego filmu, lotu wahadłowca czy lądowania na Księżycu. Majestatyczny lot puchaczy dostosowany do kroku starego człowieka tworzył magiczne widowisko, a jego głównym bohaterem był Jakub.

Stary samotnik opuścił podwórze i wyszedł na drogę. Prawdopodobnie skierował się w stronę lasu, tego już jednak nie widzieli.

4

Co opowie o domu Piechaczowa, gadatliwa mieszkanka Lipek? Kto wcześniej w nim mieszkał? Jędrek znajduje w komodzie kartkę z intrygującym tekstem.

Gdy tylko stary Jakub zniknął im z pola widzenia, przez bramę na teren domostwa dziarskim krokiem wkroczyła korpulentna niewiasta z wiklinowym koszem wypełnionym po brzegi jajkami. Pan Henio, widząc ją z okna, zaśmiał się pod nosem, a dostrzegając pytający wzrok pani Ewy, wyjaśnił:

– Piechaczowa. To było do przewidzenia. Jest zawsze tam, gdzie coś się dzieje. – I pod pretekstem sprawdzenia instalacji gazowej natychmiast zniknął w kuchni.

– Dzień dobry! Piechaczowa jestem. Wanda Piechaczowa. Ależ się zdenerwowałam, jak mi powiedziano, że ktoś w tym domu zamieszkał! Dzieci drogie, ludzie kochani, jedźcie stąd, mówię wam, jakom Piechaczowa. To pani go kupiła?

Ewa oszołomiona trochę jej energicznym wejściem zaniemówiła, ale tylko na chwilę. Uśmiechnęła się i wyciągnęła dłoń.

– Dzień dobry, nazywam się Ewa Rosochacka.

– Pani wybaczy, że ręki nie podam, ale ziemniaki do worków pakowałam, to brudne. Kupiła pani ten dom? Po co pani taka rudera? A to nie lepiej było kupić dom po Walendziaku, ten różowo tynkowany, w miasteczku? Przy Wierzbowej stoi, duży nie jest, ale ciepły i suchy, mury zdrowe, wolny od duchów. I blisko do sklepu...

– Myślę, że i ten dom jest zupełnie dobry, tylko wymaga pracy – powiedziała trochę wbrew sobie pani Ewa, której zamarzył się nagle ciepły, suchy, różowo tynkowany, ze zdrowymi murami i wolny od duchów, zwykły dom w miasteczku blisko sklepu.

– Ale co pani mówi? Tego domu i anielskie moce, i boskie cuda do normalnego życia nie wrócą. Poza tym nie wiadomo, co ten chemik tu wyprawiał i czy w murach nie ma jakiejś trucizny po kątach.

– Jaki chemik?

– To pani nie wie? Mieszkał tu przed laty hrabia jakiś, ale dziwny. Nie przyjmował na salonach zacnych gości, nie szastał pieniędzmi, nie urządzał imprez jak na wysoko urodzonych przystało, tylko... – Piechaczowa zniżyła głos – ...ciemne eksperymenty przeprowadzał. Chemiczne albo i magiczne nawet. Strach, co tu się w nocy działo. Łuny tylko od okien szły...

Dzieci, słysząc słowa Piechaczowej, ożywiły się i nadstawiły uszu. Ania i Piotrek niewiele o tym wiedzieli. Historia z hrabią chemikiem okryta była zmową milczenia – z niewiadomych powodów najstarsi mieszkańcy miasteczka niewiele o hrabim mówili, a młodsi nic nie wiedzieli. Jędrek również słuchał z uwagą.

– A co on tu robił? Jakie eksperymenty? – zapytała z niepokojem Rosochacka, której przyszło do głowy, że być może jej nowe miejsce do życia jest skażone i po miesiącu wyrosną im na plecach zielone wypustki.

Pani Piechaczowa wzruszyła ramionami.

– A ja tam nie wiem, nic chyba strasznie szkodliwego, pani się nie boi, tutaj czasem kury łaziły, psy biegały, a zwierzak w popsute miejsce nie pójdzie. Ale jeśli magię stosował? To gorzej, prawda? Bo magia to... – przeżegnała się szybko – ...ducha zniewala, to pewne.

– A co się z nim stało?

– Nie wiem dobrze, ja jeszcze w miasteczku nie mieszkałam, opowiadano mi tylko, że którejś nocy w pośpiechu rzeczy swoje spakował, konie do wozu zaprzągł i pojechał. Dom zostawił, jak stał. Po latach ktoś go kupił i znów sprzedał, bo mieszkać się w nim nie dało, i tak przechodził dom z rąk do rąk...

– A dlaczego wyjechał tak nagle, coś się stało?

– Ludzie różnie gadali. Jedni, że przeraził się swojego odkrycia naukowego, wie pani – może ten beret mobilas jakiś wymyślił? – powiedziała z przekonaniem pani Piechaczowa, a mamie Jędrka dłuższą chwilę zajęło, aby z bereta mobilasa zrekonstruować w myślach termin *perpetuum mobile**. – A może jego coś z tego domu wygnało? Nikt tego nie wie. Ale co ja tam będę mówiła, grunt, że dom chory jest. A ja jajek przyniosłam, na dobry początek, jakby pani jednak zdecydowała się tutaj zostać.

– Proszę, niech pani wejdzie, zrobię herbaty, może jest już gaz... i dziękuję za jajka, bardzo.

– Ach, wejść to ja nie wejdę, ale wody chętnie się napiję, bo upał...

Jędrek poderwał się.

– Ja przyniosę.

– Synek, szklanki są w pokoju, na stole.

Pani Piechaczowej reakcja Jędrka bardzo się spodobała.

– Jaki syn! Proszę, proszę... aż szkoda, żeby tu na zmarnowanie został.

Pani Ewa przełknęła nerwowo ślinę. Ona również nie chciała syna zmarnować, a przyszłość w domu nie rysowała się zbyt różowo.

Pani Piechaczowa wypiła wodę, wytarła dłonią usta i odetchnęła.

– Ale gorący dzień. A Henio u pani jest?

– Tak, właśnie zajmuje się instalacją gazową.

---

* *Perpetuum mobile* (łac. poruszające się wiecznie) to maszyna, której zasada działania, sprzeczna z prawami fizyki, umożliwiałaby jej pracę w nieskończoność.

– Henio pomoże... Umie. On wszystko umie. Jak skończy u pani, niech zajrzy do mnie, ciasto upiekłam. – Poprawiła lekko włosy gestem, po którym mama Jędrka zorientowała się, że zażywna i energiczna pani Piechaczowa darzy swojego sąsiada ciepłym uczuciem. – Głosów w nocy nie ma?

– Jakich głosów...? – spytała pani Ewa niepewnie.

– No z domu. Podobno w nocy słychać. Kałużowa słyszała, dzieciaki od Wrotniaków i inni też... Co ja tam głosy mówię – krzyki! Zawodzenia takie... „Aaaa, uuu...".

Piechaczowa włożyła w wydawanie dźwięków cały swój aktorski kunszt, aż wypieki wystąpiły na jej pełne policzki, a Jędrek poczuł, że ciarki przechodzą mu po plecach.

Pani Ewa postanowiła przerwać tę narrację rodem z horroru. Musiała jednak wykazać się delikatnością, aby nie zrazić do siebie nowo poznanej sąsiadki.

– Myślę, że jeśli rzeczywiście są tu duchy, to obejdą się z nami delikatnie. Gdyby stało się inaczej, będzie pani pierwszą osobą, która się o tym dowie – powiedziała spokojnie, choć w jej tonie zabrzmiała stanowcza nuta.

– Ma pani rację... – zreflektowała się Piechaczowa. – To pewnie tylko takie ludzkie gadanie, wiadomo. Czego to ludzie nie wymyślą, żeby sobie życie ubarwić, prawda? – Wstała i podniosła koszyk. – No, na mnie już czas. Jakby pani miała ochotę pogadać, po świeże jajka wpaść, to zapraszam do siebie. Mieszkam w tym żółtym domu przy poczcie. Wystarczy pod oknem zawołać, usłyszę.

– Dziękuję za zaproszenie, nie omieszkam skorzystać.

Piechaczowa zerknęła jeszcze w stronę drzwi z nadzieją, że może pojawi się w nich pan Henio, pogłaskała Jędrka po głowie i ruszyła w stronę bramy, ale zanim ją minęła, odwróciła się jeszcze:

– A jakby pani chciała poznać więcej szczegółów o tym domu, to ksiądz też powie. Powodzenia!

– No, to znamy już Piechaczową... – mruknęła pani Ewa, gdy sąsiadka znikła za ogrodzeniem. Spojrzała na Anię i Piotrka. – Ktoś wam mówił o tym hrabim chemiku?

Dzieci pokręciły przecząco głowami.

– Sama nie wiem już, co o tym myśleć... Teraz jednak najważniejsze jest to, żeby dało się tu mieszkać.

Jakby na potwierdzenie tych słów z domu wyszedł pan Henio. Rozejrzał się, a widząc, że po hałaśliwej Piechaczowej nie ma już śladu, odetchnął z ulgą.

– Instalacja gotowa. Można już podłączyć kuchenkę. Ale radziłbym kupić nową. Stara rdzą przeżarta, długo nie wytrzyma...

– Słyszał pan o tym chemiku, który tu mieszkał przed laty?

– Coś tam ludzie gadali, ale wie pani, ja po ziemi chodzę i wolę patrzeć przed siebie niż za siebie. Nie ma światła – tak zrobię, żeby było. Nie ma gazu – to samo. Płot naprawić? Proszę bardzo. Ale duchy, strachy... – Pan Henio machnął lekceważąco ręką.

Jego rzeczowa, spokojna opinia przyniosła pani Ewie wielką ulgę.

• • •

Ania i Piotrek wracali przez pola do domu. Szli w milczeniu. Próbowali poukładać w głowie wydarzenia ostatnich godzin. Przed oczami mieli jeszcze Jakuba, który wynosi z domu gniazdo puchacza, tajemniczego hrabiego tak wyraziście opisanego przez Piechaczową, no i oczywiście sam dom, który w obliczu nowych informacji otaczała coraz mroczniejsza aura. Z jednej strony, zazdrościli trochę Jędrkowi, że będzie naocznym świadkiem wielkich wydarzeń w strasznym dworku (co do tego, że stanie się tam coś niezwykłego, nie mieli wątpliwości), z drugiej jednak, przerażeniem napawała ich myśl, że mogliby w tym domu spędzić choć jedną noc.

Ania zbierała chabry, a Piotrek biegał to tu, to tam tropem wielkich świerszczy, które uskakiwały spod jego nóg na wszystkie strony. Popołudniowe słońce paliło im policzki. Upojenie letnią swobodą przyćmiło na chwilę wrażenie niepokoju bijące od zmurszałych ścian i nadtłuczonych okien. I choć serca biły im szybciej w trakcie opowieści Piechaczowej oraz kiedy wspinali się za panem Heniem po schodach na strych, to jednak teraz żałowali, że nie wiedzą, co się tam dzieje.

Dom i jego historia natrętnie powracały do nich, nie mogli przestać o nim mówić, jakby jakaś siła wciąż wywoływała ten temat i nie dawała o nim zapomnieć.

– Myślisz, że ten hrabia istniał naprawdę? – spytała Ania.

– Pewnie. Przecież Piechaczowa mówiła.

– Pani Piechaczowa zawsze mówi więcej, niż wie. Jakbyś nie wiedział.

– Ciekawe, co go tak wystraszyło?

– Może tam straszyło już wcześniej?

Piotrek spojrzał na siostrę zdumiony.

– Jak to?

– No tak to. Może ten dom był już dawniej przeklęty.

– Eee...

– Nie mogło tak być?

– Czy ja wiem... – Piotrek schylił się, żeby złapać świerszcza, ale ten umknął przed nim w ostatniej chwili.

– Trzeba sprawdzić, kiedy ten dworek zbudowano – stwierdziła Ania z przekonaniem.

– Po co?

– Po co, po co. Rusz głową, świerszczu. Jeśli się okaże, że nikt przed hrabią tam nie mieszkał, to będzie wiadomo, że wcześniej nic tam nie mogło straszyć.

– Ciekawe, dlaczego nie, mądralo? – zapytał zaczepnie Piotrek obrażony trochę za „świerszcza".

– Nie wiesz, że straszą zazwyczaj duchy, które nie mogą zaznać spokoju? A skąd duchy w domu, w którym nikt nie mieszkał?

– Czyli jeśli zaczęło straszyć po wyjeździe hrabiego, to znaczy, że... on coś narozrabiał?

– O, ruszyłeś wreszcie mózgownicą. – Ania pstryknęła brata w ucho.

Widząc zagniewaną twarz Piotrka, zagrała palcami na nosie i podbiegła kilka kroków. Piotrek porzucił świerszcze i szedł teraz powoli, zastanawiając się nad czymś.

– Anka...

– No?

– A może dziadek coś pamięta?

– Nasz?

– A czyj?

– Nie możemy się przyznać, że tam łazimy, zapomniałeś?

– A kto mówi, żeby się przyznawać? Zapytamy, ot tak... A poza tym dziadek nie zabraniał.

– I o co zapytasz?

– No... O wszystko. Poprosimy, żeby opowiedział, jak się wprowadził do naszego miasteczka... A potem o dworek i hrabiego...

Ania zamilkła. Plan brata wydał jej się rozsądny. Nie chciała jednak otwarcie się do tego przyznać. Zmieniła temat.

– Gdzie masz ten statek z drewna?

Piotrek zaczerwienił się. Zapomniał. Położył koło komputera Jędrka i zapomniał zabrać.

– Ale z ciebie oferma! – zawołała Ania, a gdy rozzłoszczony Piotrek ruszył w jej stronę, zaśmiała się i rzuciła do ucieczki.

• • •

Jędrek wszedł do przedpokoju. Rozejrzał się. Na starej komodzie pod ścianą piętrzyły się sterty szpargałów i kartek pokrytych grubą warstwą kurzu. Podłoga bardziej przypominała klepisko, sufit – państwo pajęczyn i pająków. Wysprzątanie tego miejsca, tak jak prosiła mama, wydało mu się zadaniem życia. Wzdrygnął się na samą myśl, ile rozmaitych stworzeń może kryć się między szpargałami na komodzie, ile paskudnych rzeczy może znajdować się w szufladach. Spojrzał na obraz wiszący nad komodą. Patrzył na niego surowo wąsaty szlachcic. Jego wzrok zdawał się pytać: „Co ty tu robisz, chłopcze, hę?”. Jędrek sam zadawał sobie to pytanie – to miejsce nie nadawało się do życia. Westchnął. Bohaterowie jego ulubionych książek mieli tyle przygód, przeżyli tyle niezwykłych zdarzeń, a on? Stał ze szczotką w ręku w starym dresie i jedynym potworem, z którym miał stoczyć bój, był wielki pająk zawieszony między ścianą a sufitem. Wszystko wskazywało na to, że przez najbliższe tygodnie latanie ze ścierką i miotłą będzie głównym zajęciem w tym ponurym domu i ta perspektywa go przygnębiała. Jedynym pocieszeniem była tajemnica – historia z hrabią działała na wyobraźnię i dawała nadzieję, że może pojawi się w tym domu coś ekscytującego. Nawet nie wiedział, jak prorocze okażą się jego przypuszczenia.

Mama weszła do przedpokoju.

– Usnąłeś z tą miotłą? Nad czym ty tak dumasz?

– Nie wiem, od czego zacząć...

– Od początku, synku, od początku... Weź się najpierw za te śmieci na komodzie... ja idę walczyć z kuchnią.

Kiedy znikła za drzwiami kuchni, Jędrek podszedł do komody. Sięgnął po pożółkłą kartkę leżącą na wierzchu. Poruszył nią, wzniecając od razu chmurkę kurzu. Kichnął. Zdecydowanym ruchem zgarnął papiery do worka na śmieci. Jedna z kartek wyfrunęła z niego i wylądowała na podłodze. Jędrek schylił się po nią i nagle jego uwagę przykuły dwa napisane odręcznie zdania; resztę tekstu przesłaniała ciemna plama na środku kartki. Przeczytał je na głos:

„Gdy w kamieniu zastygły jak amonit, światło otrzymasz z zewnątrz, ogniem życiodajnym poruszony wyrwiesz się z murów więziennych. I pamiętaj, który trwasz w niebycie, że tylko zwykły człowiek ku wielkim skarbom może cię zaprowadzić oraz uczyni, abyś jak Feniks z popiołów powstał".

Jędrek przeczytał drugi raz, ale niewiele z tego zrozumiał. Żałował, że dalsza część tekstu była nieczytelna. Te dwa zdania nie miały według niego zbyt wiele sensu. Mimo to nie wyrzucił kartki. Złożył ją na czworo i schował do kieszeni. Podniósł wzrok i spojrzał na obraz. Szlachcic nadal spoglądał na niego surowym wzrokiem, ale wydało się Jędrkowi, że wyraz jego twarzy stał się łagodniejszy. Ściągając z sufitu pajęczyny, czuł się trochę nieswojo, gdyż miał wrażenie, że szlachcic dokładnie obserwuje każdy jego ruch. Co jakiś czas odwracał się szybko, jakby chciał przyłapać mężczyznę z portretu z innym wyrazem twarzy. Jednak postać na obrazie pozostawała niezmienna. Po oczyszczeniu sufitu z pajęczyn Jędrek zapakował do worków wszystkie niepotrzebne przedmioty znajdujące się w przedpokoju. W końcu do wysprzątania została mu jeszcze komoda. Musiał przejrzeć zawartość szuflad. Uchylił drzwi wejściowe, aby snop światła lepiej oświetlił komodę. Zrobiona była z ciemnego drewna i wyglądała na zabytkową – wzdłuż ścian biegł ozdobny szlaczek, a krawędzie blatu okute były mosiężnymi listwami. Pierwsza z szuflad dała się odsunąć bez żadnego trudu. W środku znajdowały się stosy kartek, jakieś klucze, połamane ołówki, nic, co mogło wzbudzić zainteresowanie. W trzech następnych szufladach również nie znalazł nic intrygującego – cała ich zawartość, poza kluczami i starym wiecznym piórem, wylądowała w worku na śmieci. I dopiero z piątą szufladą nie poszło tak łatwo. Piąta szuflada stawiła opór. Jędrek szarpał się z nią przez kilka minut, ale nie ustąpiła. Sprawdził, czy pasują do niej klucze znalezione w pierwszej

szufladzie. Nie pasowały. Wtedy przypomniał sobie, że w jednej z gier komputerowych otworzył szufladę dzięki ukrytemu mechanizmowi – stare komody często mają tajemne przyciski do skrytek. Może i w tej tak jest? Jędrek ukląkł i dokładnie przyjrzał się ścianom komody. Z jednej strony widoczna była długa rysa, z drugiej ciemna plama, prawdopodobnie po atramencie. Nigdzie nie spostrzegł żadnej dźwigni czy przycisku uruchamiającego mechanizm. Sprawdził też pod blatem i z tyłu. Naciskał i pukał, ale niestety, wyglądało na to, że szufladę otwiera się zwykłym kluczem, którego jednak nie miał. Jędrek był rozczarowany. Machnął ręką. Zajmie się tym później. Na razie miał trzy wypchane różnymi rupieciami worki, które musiał wynieść przed bramę. Jak dowiedzieli się od pana Henia, śmieci sprzed każdej posesji zabierał dwa razy w tygodniu opłacony przewoźnik. Jędrek chwycił worki i wyszedł z domu. Przeszedł przez podwórze i zbliżył się do bramy. Otworzył ją i znieruchomiał, serce zabiło mu szybciej. Nagle znalazł się oko w oko z Jakubem. Przestraszony tym nagłym spotkaniem Jędrek cofnął się o krok. Co Jakub robił przed ich bramą? Stali chwilę w milczeniu, a Jędrka ogarnął niepokój. O co chodzi temu Jakubowi? Dlaczego tak na niego patrzy?

– Mogę w czymś pomóc? – zapytał z niepewną miną, choć nie miał pojęcia, w czym mógłby pomóc ponuremu Jakubowi.

Jakub nie odpowiedział. Popatrzył na worki ze śmieciami i przez chwilę Jędrkowi wydawało się, że chce je od niego wziąć. Nawet jeśli Jakub rzeczywiście zamierzał tak zrobić, to zrezygnował. Odwrócił się w milczeniu i odszedł w stronę lasu. Chłopiec postawił worki pod bramą, popatrzył chwilę za odchodzącym Jakubem i wrócił do domu.

● ● ●

Ania i Piotrek zastali dziadka Antoniego w ogródku. Dziadek w słomkowym kapeluszu, ubrany w znoszony dres stał pochylony przy krzakach malin i tuż przy ziemi przycinał sekatorem ich pędy. Był tak skupiony na tej czynności, że nawet nie zauważył wchodzących do ogrodu wnucząt.

– Dzień dobry, dziadku! – zawołała wesoło Ania.

Dziadek spojrzał w ich stronę i na jego twarzy od razu pojawił się uśmiech. Wyprostował się z pewnym trudem, kładąc dłoń na plecach.

– Oj, zgiąć to się zegnę, ale odgiąć... Co wy tu robicie, smyki? Może nosy wam poobcinać? – Dziadek poruszył groźnie nożykami sekatora.

– Eee, nie, może później – zaśmiała się Ania.

– Już wiem. Skończyło wam się kieszonkowe od ojca? – rozbawiony dziadek mrugnął do nich porozumiewawczo.

– Ależ dziadku... – Ania udała obrażoną.

– To znaczy parę groszy zawsze fajnie mieć, nie? – Piotrek nie chciał przegapić tak wspaniałej okazji.

– Piotrek! – Ania popatrzyła karcącym wzrokiem na brata.

– No co? Pytam tylko...

Dziadek położył sekator na ziemi, podszedł do stolika ogrodowego, na którym stała filiżanka kawy, i usiadł.

– Piotrek, skocz do domu, w lodówce jest coś do picia.

Chłopiec pobiegł do domu i już po chwili cała trójka siedziała przy stole: dziadek z kawą, Ania i Piotrek z sokami. Dom dziadka znajdował się z dala od centrum miasteczka. Był niewielki, z uroczliwym gankiem, pomalowany jasną farbą i otoczony ogrodem, w którym oprócz wielu gatunków kwiatów znajdowało się również kilka krzaków malin, czereśnia i trzy jabłonki. Ten ogród był oczkiem w głowie ich babci, która zmarła kilka lat temu i od tego czasu dziadek, choć wcześniej wcale go to nie interesowało, postanowił dbać o niego i pielęgnować równie starannie jak jego żona. Po jakimś czasie stał się prawdziwym znawcą wszystkiego, co się pnie, kwitnie i płoży. Mieszkał sam i bardzo lubił odwiedziny wnuków.

– No to mówcie, co się tam nowego urodziło.

I nim Ania zdążyła zareagować, Piotrek wypalił:

– Dziadku, powiedz nam, kim był hrabia, który mieszkał w strasznym domu? – i zaraz krzyknął, bo Ania kopnęła go pod stołem.

– Przecież mieliśmy od słowa do słowa... – szepnęła karcąco.

Dziadek spojrzał na nich uważnie.

– Kręcicie się koło tego domu?

– Trochę... To znaczy... raz czy dwa razy byliśmy niedaleko... – ledwo dosłyszalnie odpowiedziała Ania.

– Czyli bywacie tam codziennie – zaśmiał się dziadek. – Znam was jak własną kieszeń, oczu mi nie zamydlicie, smyki. Mam rację?

Ania i Piotrek przytaknęli zawstydzeni. Dziadek upił trochę kawy, zadudnił palcami o blat stołu, chrząknął.

– Powiem wam, że to nie jest dobre miejsce do zabawy.

– Dlaczego?

– Wasza babcia powiedziałaby, że tam jest zła energia, a ja powiem tylko, że nic tam po was. Lepiej wpadajcie do mnie, nauczę was rozróżniać kwiaty. O, właśnie. Wiecie, jak nazywają się te fioletowe kwiatki, tam przy parkanie? – A widząc miny dzieci, kontynuował: – To michałki, choć niektórzy nazywają je marcinkami. Kiedy już większość kwiatów przestaje kwitnąć, to michałki zaczynają. Są ostatnią stołówką dla pszczół i trzmieli... Czy to nie jest ciekawe?

– Jest dziadku, ale... – Piotrek spojrzał rozpaczliwie na siostrę, szukając wsparcia.

– A wiesz, dziadku, że do strasznego domu ktoś się wprowadził? – ruszyła z odsieczą Ania.

– Niemożliwe... – Dziadek spojrzał zaskoczony na wnuczkę. – Przecież to kompletna rudera... Kim są ci śmiałkowie?

– Matka z synem. Fajni nawet...

I wtedy dzieci opowiedziały dziadkowi wszystko od momentu, kiedy Jędrek wprowadził się do domu.

– ...No i okazało się, że na strychu coś straszy...

– ...Tylko nie wiadomo co, bo...

– ...Na ten strych nie da się wejść...

– Jakub wszedł tylko na chwilę i wyniósł gniazdo...

Dziadek wysłuchał tej relacji lekko oszołomiony.

– Jakub wyniósł gniazdo? A co tam robił Jakub?

– Przyszedł pomóc panu Heniowi – wyjaśniła Ania.

– Dziwne... – Dziadek podrapał się po brodzie. – On przecież unika ludzi... A skąd wiecie, że tam mieszkał hrabia?

– Pani Piechaczowa powiedziała.

– Aha, no tak, mogłem się domyślić. – Dziadek znowu zabębnił palcami o blat. – Z tym hrabią to dziwna historia. Rzeczywiście, był strasznym dziwakiem, ale nie sądzę, aby zostawił w tym domu coś niebezpiecznego. Zresztą to było tak dawno temu... Przyjeżdżali do niego różni ludzie, być może i magowie, jak chcą niektórzy, ale myślę, że prędzej profesorowie uniwersytetu.

– Pani Piechaczowa mówiła, że on tam przeprowadzał eksperymenty... Takie, że łuna od okien szła... – wyrecytował Piotrek jednym tchem.

– Pani Piechaczowa mówi wiele różnych dziwnych rzeczy. – Dziadek zmarszczył brwi. Wyglądał, jakby chciał jeszcze coś dodać, ale być może z uwagi na niecenzuralność refleksji postanowił tego nie robić. – Hrabia na pewno nie był szarym, przeciętnym człowiekiem, ale krzywdy nikomu nie zrobił.

– A dlaczego tak nagle wyjechał?

– To podobno miało związek z jego życiem osobistym... Ale to tylko przypuszczenia, nikt tego nie wie. Nawet pani Piechaczowa – dodał dziadek, krzywiąc się lekko przy nazwisku sąsiadki.

– To co straszy w tym domu?

– Tam na pewno coś jest... – Dziadek pokiwał głową i znowu upił kawy z filiżanki.

– Duch? – Piotrek przełknął ślinę.

– Może i duch. Ale przede wszystkim niemiłosierny bałagan. Trudne zadanie czeka waszych przyjaciół z Warszawy.

– Dziadku... A czy to jest możliwe, że ten hrabia jeszcze żyje?

Pan Antoni zamyślił się. Obliczał coś w pamięci. Po chwili kiwnął głową.

– Tak, to możliwe. Odkąd wyjechał stąd jako dwudziestokilkuletni mężczyzna, minęło około czterdziestu lat... Czyli według moich obliczeń powinien mieć teraz sześćdziesiąt sześć albo sześćdziesiąt osiem lat...

– On jest prawie tak stary jak dziadek! – zawołała Ania.

– O wypraszam sobie! Tak stary jak ja to nikt nie jest! – obruszył się dziadek. – A teraz chodźcie, dam wam obiad i zadzwonię do mamy, pewnie już się o was niepokoi.

Dziadek wstał i ruszył w stronę domu. Ania nachyliła się do Piotrka.

– Musimy się dowiedzieć, jak się ten hrabia nazywał... – szepnęła konfidencjonalnie.

– Po co?

– Po co, po co. Jaki ty jesteś niedomyślny. Jeśli żyje, to może uda się go odnaleźć?

– Aaa... no tak.

– Ech, detektywie za dwa grosze – prychnęła z wyższością Ania i pobiegła za dziadkiem.

– Ej! Uważaj, Anka! – krzyknął urażony Piotrek i popędził za nią.

• • •

Zapadł zmierzch. Mama Jędrka podłączyła do kontaktu lampkę i ustawiła ją na starej szafce do butów. Morelowy abażur sprawił, że pokój wypełnił się miękkim i ciepłym światłem.

Gdyby nie brudne ściany i okna, można by powiedzieć, że to nawet przytulne miejsce. Ewa zaczęła ścielić łóżko do spania.

– Najgorszy będzie ten strych. I łazienka. Z kuchni trzeba wyrzucić zbutwiałe szafki, ale nie jest najgorzej, już nie odrzuca mnie od progu... Ale najpierw strych. Jutro się tam rozejrzę.

– Mamo...

– Tak?

– Myślisz, że ten hrabia naprawdę robił tu eksperymenty? – Jędrek obracał w dłoniach statek pozostawiony przez Piotrka.

– Mam nadzieję, że nie. A nawet jeśli... Minęło już tyle lat... Jakie to może mieć znaczenie?

– A te obrazy? Mają jakąś wartość?

– Jakie obrazy? – zdziwiła się mama.

– No te w przedpokoju...

– Nie sądzę, gdyby miały, już dawno by ich nie było. Myślę, że wszystkie wartościowe przedmioty zostały już stąd wyniesione.

– Nie wiadomo...

– Co nie wiadomo?

– Bo jeśli nad tym domem ciąży klątwa, to ludzie mogli się bać. I nie zabrali.

Mama spojrzała na Jędrka zaskoczona. Nie brała dotąd pod uwagę, że jej syn może mieć przemyślenia wykraczające poza prostą analizę taktyki w grze komputerowej.

– A kto ci powiedział o klątwie? Skąd ci to w ogóle przyszło do głowy?

– Eee, mamo, no wiesz, o klątwach to każde dziecko wie.

– Ja w twoim wieku nie wiedziałam – powiedziała pani Ewa z naciskiem, nieco urażona jego tonem.

– Bo ty nie byłaś pokoleniem komputerowo-internetowym... – prychnął z wyższością Jędrek.

– Nie byłam i bardzo się z tego cieszę, mądralo. Macie za dużo informacji i przestajecie cieszyć się życiem. Pokolenie procesorów i dysków, też coś... – zrewanżowała się prychnięciem.

– No, ale mam rację z tą klątwą czy nie? Przecież to możliwe.

– Masz. Jak tylko zobaczyłam ten dom, pomyślałam o klątwie. Ale o takiej, która ciąży raczej nade mną niż nad tym domem. W pracy mówiłam: wreszcie własny dom, spełniło się moje marzenie... No to mam swoje marzenie... Trzeszczy, skrzypi i sypie się. Jesteśmy tutaj jak w pajęczej sieci.

– Oj, mamo...

– Co mamo? – Ewa zaczynała się nakręcać. – Zamieniłabym ten bałagan na sto cichych duchów. Mała, cicha, estetyczna zmora jest o wiele fajniejsza od zbutwiałej szafki w kuchni, od zardzewiałej kuchenki i starej wanny z odrapaną farbą emulsyjną.

– Dorośli są tacy przyziemni... – westchnął Jędrek. – A co powiesz o tym?

Wyciągnął z kieszeni spodenek kartkę, którą znalazł podczas sprzątania komody w przedpokoju. Mama wzięła od niego kartkę i przeczytała na głos:

– „Gdy w kamieniu zastygły jak amonit, światło otrzymasz z zewnątrz, ogniem życiodajnym poruszony wyrwiesz się z murów więziennych. I pamiętaj, który trwasz w niebycie, że tylko zwykły człowiek ku wielkim skarbom może cię zaprowadzić oraz uczyni, abyś jak Feniks z popiołów powstał". Skąd to masz?

– Znalazłem na komodzie, wśród papierów. Właściwie to... ona pozwoliła się znaleźć – sfrunęła na podłogę.

– No i co? To ma być dowód na istnienie siły tajemnej? Ty wiesz, ile kartek sfruwało u mnie w pracy na podłogę?

– Ale nie wydaje ci się to dziwne?

– Co? – nie rozumiała mama.

– Jejku – zniecierpliwił się Jędrek. – To nie jest jakiś zwykły tekst. Ja się na tym znam. Wygląda jak wskazówka.

– Do czego?

– Tego właśnie nie wiem...

– Oj, Jędrek, Jędrek... Ponosi cię wyobraźnia.

– A ty mówisz jak babcia. – Wstał i położył statek na stole. Sięgnął po piżamę. – I wiem już, dlaczego nigdy żadna mama nie będzie bohaterem fajnej gry komputerowej. To po prostu niemożliwe... – Rozczarowany wyszedł do łazienki.

Ewa jeszcze raz zerknęła na tekst.

– „Gdy w kamieniu zastygły jak amonit..." – przeczytała cicho pod nosem. – Co to, na Boga, może znaczyć?

5

Ania, Jędrek i Piotrek podchodzą pod dom Jakuba. Odkrywają w nim coś dziwnego. Ewa Rosochacka, zwiedzając strych, znajduje zabytkową szafę. Potem dzieje się z nią coś niezwykłego...

Noc w domu przebiegła bez zakłóceń. Tym razem nic nie turlało się po podłodze ani nie kołatało w okiennice. Ewa wstała w dobrym humorze, pełna energii, wzmocniona nową nadzieją, która wstąpiła w nią wraz ze spokojnie przespaną nocą. Podśpiewywała wesoło, a Jędrek obserwował ją spod kołdry, odwlekając moment wstania.

– Zbieraj się powoli, pójdziesz zaraz po zakupy. Na stole jest lista rzeczy. Mam nadzieję, że dasz sobie radę.

Jędrek wsunął się głębiej pod kołdrę i znieruchomiał jak skarabeusz na pustyni. Mama spojrzała na niego groźnie, podeszła do łóżka i jednym ruchem zerwała z niego kołdrę.

– Mamo! Ej! To nie fair!

– Nie ma żadnego fair play. Zakupy – syknęła Ewa i pstryknęła w ucho walczącego o kołdrę syna.

Po chwili Jędrek kucał już w przedpokoju i wiązał buty. Przetarł rękawem zabrudzone czubki i spojrzał znad ramienia na portret szlachcica. W świetle dnia widać było wyraźnie, jak bardzo stary i zniszczony jest to obraz. Jędrek wyprostował się, podszedł do niego i dmuchnął na płótno. Wokół ram od razu wzbiła się chmura kurzu. Jędrek zakasłał, zamachał rękami i wtedy poczuł na policzku lekki podmuch. Znieruchomiał zaskoczony. Czyżby postać na obrazie również na niego dmuchnęła? Rozbawiło go to przypuszczenie. Chyba mama ma rację – ma zbyt bujną wyobraźnię. Na wszelki wypadek przybliżył się jeszcze bardziej do obrazu i dotknął płótna palcem. I nic się nie stało. Żadnego ruchu, wibracji, a jedynie srogie spojrzenie nieznanego jegomościa w kontuszu. Jędrek złapał listę zakupów i wybiegł z domu.

Na pniu drzewa siedzieli Ania i Piotrek. Ten ostatni poderwał się na jego widok

– Jejku, ale długo śpicie! – zawołał. – Idziemy na strych?

– Teraz nie mogę... Muszę zrobić zakupy... – mruknął pod nosem Jędrek, niezadowolony z tego, że przydzielono mu tak prozaiczne, zupełnie niewakacyjne zadanie.

– Eee... szkoda... – Piotrek nie krył rozczarowania.

– Piotrek, przestań z tym strychem – skarciła brata Ania i zwróciła się do Jędrka: – Jak chcesz, pójdziemy z tobą. Pokażemy ci miasteczko.

– Pewnie, że chcę.

Po chwili szli już piaszczystą drogą. Ania wprowadzała Jędrka w miejscowe tajemnice i ciekawostki:

– Najważniejsza rzecz – omijać pod wieczór sklep pana Mietka Krótkiego. Tam stoją różni tacy i piją piwo. Kłócą się, hałasują i są niemili. Na ulicy Słonecznej mieszka pan Werner. Jest baaardzo gruby i ma wielkie uszy, ale nie wolno się śmiać, bo wtedy wymachuje laską i grozi, że powie rodzicom. Koło sklepu z gwoździami jest dom tych, co z Kanady wrócili, i oni mają wielkiego psa. Lepiej go nie drażnić, potrafi się wydostać, a wtedy...

– A za kościołem jest dróżka nad rzekę! – Piotrek również postanowił dorzucić swoje trzy grosze. – Tylko niektórzy znają ten skrót.

– Niektórzy? Wszystkie dzieciaki tamtędy biegają! – zaśmiała się Ania.

– No bo dzieci to dzieci, dzieci to nie wszyscy. – Bronił swojej fajnej informacji Piotrek.

– Jest też cukiernia i tam można robić „akcję na szybę" – zniżyła głos Ania, jakby zdradzała wielką tajemnicę.

– Akcję na szybę?

– Stoisz przy szybie wystawowej i gapisz się na ciastka. Pani Zosia zawsze się zlituje i wyniesie kilka słodkich bułek.

– Daje tylko z dżemem – skrzywił się Piotrek.

– No, najlepsze są z budyniem, ale i tak warto.

– A wiesz, gdzie mieszka Jakub? – zapytał Piotrek szybko, jakby brał udział w licytacji na najlepszą wiadomość dnia.

– Nie, skąd mam wiedzieć?

– Anka, to może od razu pójdziemy pod dom Jakuba?

– A to daleko? – zapytał Jędrek z niepokojem.

– Nie, blisko. Jakub nie mieszka w miasteczku, tylko w lesie. Od ciebie to nawet bliżej. Chcesz tam pójść? – spytała Ania.

Jędrek zastanowił się. Jakub trochę go przerażał, ale odrzucić taką propozycję oznaczałoby przyznać się do lęku, a do tego chłopak nie mógł dopuścić.

– Nie ma sprawy. Idziemy.

Cała trójka zeszła z piaszczystej drogi i skręciła do lasu. Dachy budynków miasteczka szybko znikły Jędrkowi z oczu. Weszli w ciemny las.

• • •

Pani Ewa uniosła się znad wanny i jęknęła. Przeszył ją ból krzyża, efekt długiej walki z zaciekami. Potarła dłonią plecy, odgięła się i przysiadła na brzegu wanny. Tak, bolało i pot zalewał jej oczy, ale czym były te chwilowe niedogodności w porównaniu z wizją wieczornej kąpieli? Rozmarzona mama Jędrka zamknęła oczy.

Piana, świece, Nat King Cole albo Armstrong napełniający łazienkę przyjemną muzyką, wonne olejki i święty spokój. Niczego więcej nie potrzebowała teraz od życia. Czemu właściwie ma czekać do wieczora? Może od razu zafunduje sobie odrobinę przyjemności? Ale błogą myśl szybko rozproszyła inna, o wiele mniej nęcąca. Kobieta obiecała sobie, że wejdzie na strych i wyrzuci z niego, co się da. Wiedziała też, że jeśli odłoży decyzję na później, to być może nie wejdzie na ten strych przez najbliższych kilka miesięcy. Zawsze tak się dzieje z odkładanymi na później decyzjami – obrastają w coraz grubsze warstwy zaniechań i wymówek, stają się obce, odległe i kompletnie nieosiągalne. Przypomniała sobie, co powiedziała jej kiedyś matka: „Jeśli w ciągu sześciu dni po przeprowadzce nie wypakujesz z pudeł wszystkich rzeczy, to nigdy ich nie wypakujesz". Pani Ewa westchnęła i odłożyła zmywak do umywalki. Przetarła ręcznikiem twarz i wyszła z łazienki.

Po chwili wchodziła po schodach z latarką w ręku ubrana w stary dres i podarty z lewej strony T-shirt. Z kieszeni spodni wystawały zwinięte w rulon plastikowe worki na śmieci. Gdy stanęła pod drzwiami strychu, ogarnęło ją zniechęcenie i wątpliwości. Może popełnia błąd? Może trzeba było umówić się z panem Heniem? No, ale z drugiej strony musi nauczyć się radzić sobie sama, to w końcu jej dom. „Pan Henio nie może być czarodziejem na zawołanie, stałym wybawcą, kimś, kto cudownie i szybko rozwiązuje problem" – powiedziała do siebie rzeczowo, ale w duchu żałowała, że tak właśnie nie może być.

Włożyła klucz do zamka i przekręciła. Zamek zgrzytnął i coś w środku obiecująco zaskoczyło. Ewa nacisnęła klamkę. Byłaby zdziwiona, gdyby drzwi ustąpiły – i rzeczywiście, mimo przyjaznego zgrzytnięcia, nie otworzyły się. Naparła na nie ramieniem, potem kolanem, ale nie przyniosło to żadnego efektu. Ogarnęła ją prawdziwa złość. Co to w ogóle ma znaczyć? Nie da się zniechęcić jakimś niemądrym, kapryśnym i topornym drzwiom. Będzie walczyła. Przypomniała sobie wtedy o pogrzebaczu leżącym w salonie przy nieczynnym kominku. Na upartego można zrobić z niego łom.

Zbiegła na dół. Po kilku minutach ponownie stała pod drzwiami. Wcisnęła metalowy pręt między framugę a drzwi i naparła na niego z całej siły. Siłowała się dłuższą chwilę, a gdy to nie pomogło, z szaleństwem w oczach kilkakrotnie uderzyła pogrzebaczem w drzwi na wysokości zamka. Gdyby w tej chwili zobaczył ją ktoś niezorientowany w sytuacji, pomyślałby, że ma oto przed sobą ekscentrycznego włamywacza, zupełnie niewprawnego w fachu, o wyglądzie całkiem sympatycznej kobiety po trzydziestce.

Walka zakończyła się kilkoma rysami na drzwiach i framudze, a ze ściany odpadł duży kawał tynku. To było wszystko, co osiągnęła. W końcu Ewa dała za wygraną. Osunęła się zrezygnowana na podłogę i oparła plecami o złośliwe drzwi. „Wygrałeś, przebrzydły strychu" – pomyślała. I wtedy, nieoczekiwanie, drzwi – jak wielkoduszny wojownik, który z szacunkiem kłania się przed swoją damą – uchyliły się. Ewa, straciwszy oparcie pod plecami, wylądowała jak długa na podłodze. – Och ty! – krzyknęła zaskoczona. Natychmiast wstała, otrzepała się z kurzu, stanęła na progu i zajrzała do środka. Mimo słonecznego dnia strych tonął w ciemnościach, przez okiennice małego okienka w dachu przedostawała się tu tylko wąska smużka światła. Ewa odważnie weszła do środka.

● ● ●

Jędrek dał się poprowadzić rodzeństwu pod dom Jakuba. Przedzierali się przez zarośla dobre dziesięć minut, zanim doszli do wydeptanej ścieżki prowadzącej do domu. Jędrek czuł na twarzy kilka pajęczych nitek, we włosach liście, a w sercu strach. Miał zaufanie do Ani i Piotrka – oni z pewnością znali ten teren jak własną kieszeń, a jednak nieproszona wizyta pod domem Jakuba mogła okazać się niebezpieczna. A jeśli ich pojawienie się wywoła złość gospodarza?

Ania i Piotrek położyli palce na ustach, nakazując ostrożność. Zaraz za małą polaną znajdowało się bezpośrednie dojście do domu Jakuba. Przebiegli przez polanę pochyleni jak żołnierze w czasie operacji militarnej, co bardzo się Jędrkowi spodobało. Już zapomniał, po co właściwie wyruszył do miasteczka, teraz ważne było tylko jedno – zobaczyć dom samotnika. Po chwili przycupnęli za krzakami jeżyn. Było to bezpieczne miejsce – między krzakami biegł wąski przesmyk, świetne miejsce na kryjówkę. Nikt ani od strony polany, ani od strony domu nie mógł ich zobaczyć. Jędrek wychylił się, żeby rozejrzeć się po okolicy, ale Ania pociągnęła go za rękę.

– Nie wychylaj się, przesuniemy się bliżej i wtedy go zobaczysz.

Po jej słowach cała trójka przemieściła się w kucki kilka metrów w głąb zarośli.

– Już go widać – szepnął Piotrek.

Jędrek spojrzał we wskazanym kierunku. Zobaczył drewniany dom ze spadzistym dachem, zniszczony i z jednej strony nadpalony. Zrobiony był z grubych belek i przypominał Jędrkowi góralską chatę. Nic szczególnego. Spodziewał się czegoś niezwykłego i niepowtarzalnego, a siedział w krzakach i patrzył na zupełnie przeciętną chałupę. Teren wokół domu obrastały paprocie, które wyglądały jak wielkie falujące rozlewisko zieleni. Lewą ścianę chaty oplatało dzikie wino. Charakter roślinności świadczył o tym, że okolica, w której mieszka Jakub, jest miejscem wilgotnym i być może podmokłym. Przed domem na długiej żerdzi podtrzymywanej przez pale rozwieszone były jakieś szmaty i worki.

Przycupnięci w krzakach rozmawiali półgłosem, jak konspiratorzy.

– A co jest w tych pakunkach? – zapytał Jędrek.

– On tam podobno trzyma futra zwierząt albo coś, czego potrzebuje do czarów, tak ludzie mówią – szepnęła Ania. – Ale tego nikt nie wie.

– Czy tu był pożar?

– Chodzi ci o to nadpalenie?

– No.

– Józek od Kałużowej mówił, że widział, jak piorun strzelił w chałupę, aż iskry poszły.

– Czy on jest teraz w środku?

– Kto? Józek? – nie zrozumiał Piotrek.

– Nie, Jakub... – zachichotał Jędrek.

– Bardzo możliwe. Rzadko wychodzi z domu.

– A ktoś go odwiedza?

– Nie, chyba nie.

– To z czego on żyje?

– A z tego, co mu ludzie zostawią w sklepie. Jeden stary płaszcz zostawi, inny kosz z jedzeniem. No i pan Henio zabiera go ze sobą do różnych remontów – wyjaśniła spokojnie Ania.

– Ale nikt jeszcze nie był u niego... – powiedział z przejęciem Piotrek.

– A czemu on tak stroni od ludzi?

Rodzeństwo spojrzało na siebie. Oboje wzruszyli ramionami.

– Zawsze tak było... – szepnęła Ania.

– Czy on nas widzi?

– Chyba nie.

– Może podejdziemy bliżej? – zaproponował Jędrek, który nagle poczuł się jak bohater gry szpiegowskiej uwikłany w niezwykłą intrygę wojenną.

Ania w pierwszej chwili chciała zaprotestować, ale Piotrek już zrobił ruch do przodu i cała trójka przesunęła się bliżej. Siedzieli teraz pomiędzy krzakami jeżyn, tuż przy wielkim dębie. Z tego miejsca widzieli drzwi wejściowe i dwa okna. Drzwi były uchylone, ale nie na tyle, by dzieci mogły zobaczyć, co znajduje się w środku. Na domiar złego nad ich głowami falowała chmara komarów, więc musieli co chwila uderzać się po rękach i nogach, co oczywiście nie licowało z powagą misji specjalnej pod nazwą „podchody do Jakuba". Ciemne poszycie dachu, niezbyt czyste szyby i wydeptana ziemia przed wejściem sprawiały, że posesja wydawała się mroczna i smutna. Jednak Jakuba nigdzie nie było widać i dzieci nie kryły rozczarowania. Liczyły na to, że zobaczą go, jak wykonuje szamańskie sztuczki albo przynajmniej wygląda inaczej niż zwykle. Jakub półdzik, Jakub półborsuk, Jakub wilkołak – każde tego typu odkrycie tłumaczyłoby jego odosobnienie.

– Może podejdziemy do drzwi i zajrzymy do środka? – W Jędrka wstąpiła teraz nadzwyczajna odwaga, choć kilkanaście minut wcześniej najchętniej uciekłby z tego miejsca jak najdalej.

Piotrek i Ania nie wyglądali na zachwyconych pomysłem. Odruchowo cofnęli się o dwa kroki, jakby w obawie, że szalony Jędrek wypchnie ich na linię ognia.

– No co? Strach was obleciał? – zapytał zaczepnie Jędrek, uśmiechając się pod nosem.

– Coś ty... Możemy zajrzeć, tylko po co?

– Dlatego że nikt tam nie zaglądał, wystarczający powód? – bronił pomysłu Jędrek. – Ale jeśli się boicie...

– Ja się nie boję, o przepraszam! – zareagował szybko Piotrek.

– A ja tak – stwierdziła szczerze Ania.

– W takim razie ty zostaniesz, a my dwaj podejdziemy – zdecydował Jędrek.

Piotrek spojrzał na siostrę z zazdrością – wiele by dał, aby tak po prostu przyznać się do strachu. Niestety, nie mógł – facet nie pęka. W duchu stwierdził, że dziewczyny mają w życiu o wiele lżej.

Jędrek wysunął się z krzaków jeżyn i lekko pochylony podbiegł do stojącego na podwórzu starego wózka na chrust, kucnął przy nim i dał Piotrkowi znak dłonią. Teraz Piotrek z bijącym sercem ruszył w ślad za nim. Po chwili obaj siedzieli za wózkiem, a od domu dzieliło ich zaledwie kilka metrów. Ania obserwowała ich zza krzaków.

– Co teraz? – zapytał Piotrek szeptem.

– Nasłuchujemy.

Nie doszedł ich jednak żaden dźwięk oprócz monotonnego brzęczenia komarów. Uchylone drzwi domu zachęcały do tego, by wejść i rozejrzeć się w środku. Jędrek złapał Piotrka za ramię tak, że ten podskoczył.

– Co?! Ktoś idzie?

– Cicho... nie. My idziemy.

Jędrek wstał i podbiegł do domu, Piotrek zrobił to samo. Stali teraz oparci o ścianę, tuż przy framudze, i prawie nie oddychali.

– A jeśli on tam jest? – spytał szeptem Piotrek.

– No to powiemy: dzień dobry – uśmiechnął się drwiąco Jędrek.

Czuł się szefem ważnej misji i teraz zupełnie nie obchodziło go to, co może im grozić ze strony Jakuba. Najwidoczniej odwaga Jędrka udzieliła się również Piotrkowi, ponieważ pierwszy zrobił ruch w stronę wejścia.

– Dobra. Miejmy to już za sobą – westchnął i wszedł do środka.

Nieco zdziwiony takim zachowaniem Jędrek został z tyłu, ale potem i on przestąpił próg domu Jakuba.

• • •

Ewa zapaliła latarkę i oświetliła wnętrze strychu. Był o wiele większy, niż myślała. We wnętrzu znajdowało się mnóstwo przedmiotów – stara komoda, fotel bujany bez jednego bieguna, skrzynie pokryte kurzem tak grubym, że nie widać było już ani zamka, ani inkrustacji. Pod ścianą stał rower z wyłamanymi szprychami, a ze stojaka na parasole wystawała długa tuba na projekty architektoniczne. Z lewej strony, ułożone w wysoki stos, leżały książki, księgi i mnóstwo papierów. One również pokryte były grubą warstwą kurzu. Z prawej strony natomiast stał wysoki zegar bez wahadła i krzesło ze skórzanym oparciem, ale bez siedziska. Prócz tego w środku znajdowało się mnóstwo innych drobnych przedmiotów: druciane okulary przeciwsłoneczne, stary słomkowy kapelusz, mosiężny tłuczek i moździerz, młynek do kawy z urwaną rączką i drewniane ramki na zdjęcia bez zdjęć... Ewa przeszła kilka kroków i nagle potknęła się. Przeszkoda na jej drodze wydała dźwięk podobny do długiego dysharmonicznego jęku. Ewa odskoczyła i od razu skierowała snop światła w stronę przedmiotu. Na podłodze leżała stara harmonia, z jednej strony zupełnie popękana, ale na tyle „żywa", aby zareagować na dotyk. Mama Jędrka odetchnęła z ulgą. Następnie podeszła do jednej ze skrzyń i dmuchnęła. Uwolniony kurz wypełnił powietrze jak dym z kilkunastu cygar i Ewa zaniosła się kaszlem. Potem złapała za rączkę przy zamku i spróbowała podnieść wieko skrzyni. Niestety, pokrywa ani drgnęła – skrzynia była zamknięta na klucz. Ewa rozejrzała się. Starała się nie widzieć setek pająków uwieszonych pod sufitem na gęstych pajęczynach ani nie patrzeć dokładnie pod nogi, gdzie, bez wątpienia, wędrowały stada robaków. Jej uwagę przykuła wielka szafa stojąca pod oknem. Gdy oświetliła ją latarką ze wszystkich stron, aż pisnęła z radości. W jej własnym domu, zaledwie kilka kroków od niej, znajdowała się dokładnie taka szafa, jaką bezskutecznie starała się znaleźć w Warszawie na targu ze starociami. Wykonana z ciemnego drewna ozdobionego na drzwiach płaskorzeźbami, niezbyt wysoka i niezbyt szeroka – akurat taka, o jakiej marzyła.

– Przecież to prawdziwy zabytek, jaka cudna intarsja z drzewa cedrowego! To musi być osiemnasty wiek! – zawołała szczęśliwa i pogładziła szafę z czułością. Widok mebla zupełnie zrekompensował jej wszystkie cierpienia związane z brudem i robactwem. Obejrzała szafę ze wszystkich stron – nigdzie nie było śladów zniszczenia lub nadgryzienia przez korniki. Mebel wydawał się zupełnie nowy, tyle że bardzo zabrudzony. Ewa nie ukrywała ekscytacji. Oczy lśniły jej radością na samą myśl o zdobyczy i nie mąciła jej żadna przeszkoda, np. świadomość, ile czasu zajmie doprowadzenie szafy do porządku. Chwyciła za rączkę na drzwiach, a szafa nie stawiła oporu. Drzwi otworzyły się z lekkim skrzypnięciem. W środku zamiast ubrań, których się spodziewała, leżały tylko rulon oraz jakaś księga. Pani Ewa sięgnęła po znalezisko i już niemal dotykała księgi, ale w tej samej chwili zrobiło jej się ciemno przed oczami, zachwiała się i osunęła na podłogę. Drzwi szafy zamknęły się z takim samym skrzypnięciem, z jakim się otworzyły.

• • •

Jędrek i Piotrek stali na środku pokoju. Izba nie wyglądała za dobrze. Było w niej coś, co napawało Piotrka niepokojem – prawie słyszał, jak zagniewany Jakub woła do nich: „Uciekać mi stąd, nicponie!". Ale Jakuba nie było w pokoju. Nie było tu również zbyt wielu mebli – jedynie drewniane łóżko zasłane kocem, stół bez obrusa i krzesło. Nic więcej. Żadnych przyrządów do tortur, butelek z trującymi miksturami, które spodziewali się zobaczyć. Na zimnym palniku małej kuchenki pod oknem stał wielki gar. A jednak miejsce nie zachęcało do pozostania, wręcz przeciwnie – miało się ochotę od razu stamtąd czmychnąć. Jędrek był nieco rozczarowany: pokój nie był wcale straszny, tylko skromny – i to wszystko, co można było o nim powiedzieć.

Ania, która nadal siedziała w krzakach jeżyn, przez jakiś czas od odejścia chłopców nasłuchiwała odgłosów z domu i pilnie rozglądała się wokół, teraz zajęła się głównie odganianiem latających nad jej głową komarów. Skupiona na walce z owadami zupełnie nie zauważyła, że od strony lasu, z wielkim workiem na plecach, do domu zbliża się jego właściciel.

Tymczasem wewnątrz chłopcy kontynuowali rekonesans. Najbardziej intrygował ich kocioł na kuchence, w zasadzie jedyna dziwna rzecz w pomieszczeniu. Nigdy wcześniej nie widzieli gara takich rozmiarów.

– Ciekawe, co w nim jest... – mruknął Jędrek pod nosem.

– Ja nie jestem ciekaw! – powiedział ostrzegawczo Piotrek, który wyobraził sobie, że z naczynia wyskakuje na nich spłoszone, schwytane wcześniej przez Jakuba zwierzę.

W Jędrku znowu odezwał się przywódca wyprawy. Wziął głęboki wdech, podszedł do gara i odważnie uchylił pokrywę. Wspiął się na palce, zajrzał do środka i... natychmiast odskoczył. Piotrek zrobił to samo, choć nie miał pojęcia, co takiego zobaczył Jędrek.

– Co?! Co tam jest? – zawołał przestraszony.

– Tam... tam... – wydukał Jędrek, cofając się – tam jest...

– No co tam jest?! – Piotrek był już naprawdę przerażony.

– Rękaw... tam jest koszula... W jakimś czarnym sosie! – zawołał Jędrek, którego w tym momencie opuściła cała odwaga.

– O matko... – jęknął Piotrek. – Po co ja tutaj przyszedłem...

– On kogoś ugotował...? – Jędrek wycofywał się do drzwi.

Piotrek, słysząc to, dłużej się nie zastanawiał. Ruszył biegiem w stronę wyjścia, ale w drzwiach wpadł wprost na Jakuba. Zatrzymał się, nie wiedząc, co robić. Osłupienie trwało tylko chwilę. Niewiele myśląc, skoczył szczupakiem między nogami gospodarza i wybiegł na zewnątrz. W domu został tylko Jędrek – sam na sam z wielkim ponurym samotnikiem. Szukał w myślach słów mogących wyjaśnić ich nieproszoną wizytę, ale nic sensownego nie przychodziło mu do głowy. Jakub milczał i nie wyglądał na zagniewanego, raczej zdziwionego.

– Ja, my... – zaczął niepewnie Jędrek, nie wiedząc, co właściwie chce powiedzieć.

Zastanawiał się, jakie ma szanse, żeby wyjść z tej niezręcznej sytuacji bez uszczerbku na zdrowiu. Jakub mógł przecież wrzucić go do kotła. Kto by go tam szukał? Nikt. Zniknąłby bez śladu. Na samą myśl dreszcz przeszedł mu po plecach. Żałował teraz swojego pomysłu. To było głupie, jak mógł tu wejść? W oczekiwaniu na reakcję skubał nerwowo kieszeń spodenek. Jakub nie wykonał jednak żadnego ruchu, nie powiedział ani słowa. Jeśli nawet chciał coś powiedzieć, to zrezygnował. Odsunął się, robiąc Jędrkowi przejście. Chłopak nie zastanawiał się długo – skoczył do drzwi i wybiegł na dwór.

Biegł w stronę krzaków jeżyn, ile sił w nogach i dalej, przed siebie, mimo okrzyków Piotrka i Ani. Zatrzymał się dopiero na skraju polany, kilkanaście metrów od drogi do miasta. Usiadł w trawie i schował głowę w dłoniach. Nigdy wcześniej nie czuł takiego strachu, nigdy wcześniej przed nikim i niczym tak nie uciekał. Po kilku minutach pojawili się zdyszani Piotrek i Ania.

– Co ci powiedział?

– Nic – mruknął Jędrek, nie podnosząc głowy.

– Nic?

– Nic, kompletnie.

– To czemu wybiegłeś, jakby cię nożem kroił? – Ania usiadła obok niego.

– Bo tak.

– Jakbyś widziała ten jego kocioł, też byś biegła – wziął Jędrka w obronę Piotrek.

– Nic mnie nie obchodzi żaden kocioł.

– Bo go nie widziałaś. Tam normalnie jest koszula, brrr... koszmar.

– Mówiłam, żeby tam nie łazić? – prychnęła Ania. – Jędrek, wszystko z tobą dobrze?

Jędrek kiwnął głową, wstał i wytarł twarz. Unikał ich spojrzeń.

– Kurczę, muszę iść po te zakupy. Matka mi głowę urwie.

Starał się, aby jego głos brzmiał normalnie i nie zdradzał emocji, ale i tak czuło się, że ta przygoda wytrąciła go z równowagi.

Dzieci ruszyły w stronę miasteczka. Szły w milczeniu. Ania co jakiś czas schylała się i drapała po pokąsanej przez komary łydce. Wszyscy starali się zapomnieć o wyprawie i wstydliwym przyłapaniu ich przez Jakuba. Piotrek nucił coś pod nosem, jakby nic się nie stało, ale widać było, że humor go opuścił, a Jędrek szedł ze wzrokiem wbitym w ziemię. Tę ciężką atmosferę przerwała w końcu Ania.

– Ojej, dajcie spokój. Mamy nauczkę. I tyle – powiedziała tonem, jaki często przybierała jej mama.

– Ja tam się nie przejmuję – oznajmił hardo Piotrek. – A kocioł jest.

– Ale co z nim? – nie zrozumiała Ania. – To przestępstwo trzymać w garnku koszulę?

– Nic nie rozumiesz – powiedział z wyższością Piotrek. – Jejku, dziewczyny nigdy nie widzą niczego podejrzanego.

– E, bo nie wiem, o co ci chodzi. Jakub miałby kogoś ugotować? – Anię rozbawiło takie przypuszczenie. – To niemądre.

Gdy rodzeństwo się sprzeczało, Jędrek milczał, analizując jeszcze raz całą tę sytuację. Widział, jak Jakub staje w drzwiach z wielkim workiem, mierząc go ciężkim spojrzeniem. Coś nie dawało mu spokoju. Gdy stał tak naprzeciw Jakuba, umierając ze strachu, zastanawiał się głównie nad tym, jak uciec. A jednak... Wiedział, że jest coś, co nie pasowało do sytuacji. Musiał zobaczyć coś, z czym Jakub mu się nie kojarzył. Jędrek zamknął oczy i próbował obejrzeć tę scenę jeszcze raz, jakby oglądał film kadr po kadrze. Nie było to łatwe, również dlatego, że z zamkniętymi oczami trudno iść bez potykania się o ukryte pod piachem korzenie. Stanął w końcu i skupił się na odtwarzaniu z pamięci spotkania z Jakubem. Wyglądał na tyle dziwnie, że Ania i Piotrek przestali się kłócić i spojrzeli na niego zdumieni. Piotrek nachylił się do siostry.

– Oszalał... – szepnął.

Jędrek stał jeszcze chwilę, odbywając niemą podróż w czasie, aż w końcu jego twarz się rozpromieniła.

– Wiem!

– Co takiego? – spytała Ania, przyglądając mu się uważnie.

– Wiem, co miał Jakub! Wiem, co miał, a nie powinien tego mieć!

Okrzyki Jędrka wcale nie uspokoiły rodzeństwa, przeciwnie, nic z tego nie rozumieli.

– Ale o co ci chodzi?

– Już mówię. – Jędrek spojrzał na Piotrka. – Ten dom Jakuba był prawie pusty, kilka rzeczy na krzyż, tak?

– Tak, raczej biednie... – kiwnął głową Piotrek.

– No właśnie...

– Ale co „właśnie"? Mów! – Zmarszczyła brwi Ania, która nie lubiła długo czekać na wyjaśnienia.

– Teraz przypomniałem sobie, że zobaczyłem u Jakuba coś, co do niego nie pasowało – powiedział z dumą Jędrek. – I to może być trop.

– Co zobaczyłeś?

– On miał... zegarek.

Ania i Piotrek nie wykazali szczególnego zainteresowania tym odkryciem, więc Jędrek wyjaśnił:

– Nie chodzi o taki zwykły zegarek, tylko elegancki, na łańcuszku. Mój dziadek taki miał. Nazywał go cebula. Taki zegarek nosili kiedyś w dawnych czasach tylko naprawdę bogaci ludzie.

– No i?

– No i co taki zegarek robi u Jakuba? Czy to nie dziwne?

– Trochę jest – przyznała w końcu Ania. – Ale co to może znaczyć?

– Moim zdaniem, to znaczy, że Jakub coś ukrywa. I kiedyś mógł być kimś zupełnie innym.

– Kim? – spytał Piotrek.

– Tego właśnie się dowiemy – powiedział Jędrek z przekonaniem.

• • •

Pan Antoni szedł szybkim krokiem w stronę domu Piechaczowej. Elegancka laska, którą podpierał się od czasu do czasu,
była zupełnie zbędna i nosił ją jedynie dla fasonu. Dziadek
Ani i Piotrka utrzymywał się bowiem w wybornej formie.
Mieszkał kilka przecznic od Piechaczowej i oddalenie to bardzo mu odpowiadało. Z reguły starał się jej unikać, ponieważ
cenił sobie spokój, a pani Piechaczowa była zaprzeczeniem
spokoju. Gadatliwa kobieta, znana każdemu mieszkańcowi
Lipek, przechodziła przez miasteczko jak huragan. Roznosi-
ła wieści z taką wprawą, z jaką mistrz walki posługuje się nun-
czako. Gdy odwiedzała sąsiadów, serdeczności przeplatała
zapowiedziami ekscytujących wieści o znajomych i nieznajo-
mych, a kierował nią, jak żołnierzem, wewnętrzny nakaz, aby
wystrzelać z siebie całą amunicję sensacji. Jej opowieści wyle-
wały się z niej jak kaskada wody w Niagarze i choć nie sposób
było odmówić im barwy, wprowadzały w życie mieszkańców
niepokój i zamieszanie. Piechaczowa miała taktykę – gdy
pierwsza seria wieści nie wywierała odpowiedniego wrażenia,
rzucała do walki trzymaną na czarną godzinę najbardziej tra-
giczną historię, do której ozdobienia używała najbardziej wy-
myślnych pocisków narracyjnego kunsztu. Dramatycznie za-
wieszała głos, przyspieszała oddech, wytrzeszczała oczy albo
przeciwnie – kontrastowała wstrząsającą treść zupełnie obo-
jętnym wyrazem twarzy. W jej informacyjnym posłannictwie
tragiczne zdarzenia, jak łatwo się domyślić, miały bezdysku-
syjne pierwszeństwo.

Dziadek Antoni był jej przeciwieństwem. Uważał, że każdy
ma swoje sprawy i życie prywatne, i nie należy się w nie wtrą-
cać. Jeśli ktokolwiek zechce się nim podzielić z innymi, to na
pewno sobie poradzi i nie potrzebuje do tego pomocników.
Łatwo się domyślić, że w tej sytuacji rozgadana Piechaczowa

nie mogła być jego ulubienicą. Gdy widział ją na horyzoncie, najczęściej wykonywał manewr w tył zwrot albo wchodził do najbliższego sklepu lub bramy – jednym słowem: znikał.

Teraz jednak szedł ulicą z marsową miną i z głębokim postanowieniem, że należy doprowadzić do ważnej konfrontacji. Był absolutnie przekonany, że osoby w podeszłym wieku powinny dawać dobry przykład, a jego zdaniem Piechaczowa ten obowiązek zaniedbywała. Gdy podszedł do budynku poczty, w którym mieściło się także mieszkanie Piechaczowej, zatrzymał się i zastukał laską w ścianę.

– Pani Piechaczowa! – zawołał w stronę okna na drugim piętrze.

Kilka osób przechodzących akurat ulicą zatrzymało się. Coś się szykowało. Zachowanie pana Antoniego wskazywało na rzecz poważną i wartą obserwacji. Ktoś pojawił się w oknie domu naprzeciwko, ktoś inny zszedł z roweru. Na ulicy zaczęli gromadzić się gapie.

– Pani Piechaczowa, proszę zejść! – zawołał ponownie dziadek Antoni i drugi raz zastukał w ścianę.

W mieszkaniu Piechaczowej otworzyło się okno i po chwili wszyscy zobaczyli głowę w papilotach. Głowa wychyliła się i spojrzała na dziadka Antoniego.

– A co tam? Pali się czy co?

– A pali, pali... Bardzo proszę zejść tu do mnie! – Dziadek zamachał laską, przywołując Piechaczową do siebie na dół.

– Jeszcze czego! Jestem, proszę pana, nieuczesana! I o co chodzi? – Piechaczowa stawiała opór, przeczuwając, że obecność dziadka nie wróży nic dobrego.

– Dowie się pani, kiedy tu zejdzie – odkrzyknął dziadek.

– Mówię przecież, że nie mogę, no ludzie kochani, jaki natręt!

Na chodniku rosła grupka gapiów. Ludzie z zainteresowaniem patrzyli to na dziadka, to na Piechaczową – wyglądali jak kibice meczu tenisowego, śledzący lot piłki.

– Pani nie tylko może, ale musi tu do mnie zejść, bo mam pani coś ważnego do zakomunikowania! – odkrzyknął znowu dziadek.

– Mowy nie ma! – zawołała Piechaczowa i zamknęła okno.

– Jeśli nie zejdzie pani za pięć minut, uprzedzam, zrobię coś strasznego!

Głowa Piechaczowej obwieszona papilotami niczym choinka na Boże Narodzenie znowu pojawiła się w oknie.

– A co pan zrobi?

– Coś strasznego!

– Biorę państwa na świadków! Zostałam zaatakowana groźbą! – Piechaczowa wyciągnęła ręce w dramatycznym geście.

Dziadek Antoni zmarszczył brwi.

– Pani jeszcze nie wie, jak może wyglądać prawdziwy atak, proszę pani... – oznajmił.

Piechaczowa, widząc, że sprawa jest poważna, przynajmniej dla dziadka Antoniego, i nie chcąc robić na ulicy jeszcze większego zamieszania, postanowiła pójść na ustępstwa.

– Mogę zejść tylko na dwie minuty. I niech to będzie coś ważnego. – Piechaczowa zatrzasnęła okno.

Po kilku minutach pojawiła się na ulicy w żółtym, połyskliwym szlafroku z rękami założonymi na piersiach.

– Jestem. Słucham, o co tyle krzyku? – zapytała obrażona, nie patrząc nawet na dziadka Antoniego.

– Proszę pani, ja już się pogodziłem z tym, że gdy ktoś w naszym miasteczku połknie żabę, z całym szacunkiem dla żab, to po pięciu minutach, dzięki pani inicjatywie, będzie wiedział o tym mieszkaniec Alaski. Pogodziłem się z tym, że działa pani jak paparazzi z wielkomiejskiej gazety, ale nie pozwolę, aby mieszała pani dzieciakom w głowach.

– A kto miesza? Ja? – Piechaczowa wydawała się święcie oburzona. Nawet klepnęła się w biodro w geście „no wiecie co...".

– A po co opowiada pani jakieś niestworzone historie o strasznym dworku, choć prawdę mówiąc, żaden z niego dworek, i po co straszy pani dzieci hrabią, który nigdy nic złego w tym miasteczku nie zrobił?

– Ja straszę? Kiedy?

– Pani dobrze wie. Bardzo proszę więcej im o dworku nie opowiadać.

– A bo to tajemnica, że tam straszy? Każdy panu powie, że nad domem ciąży klątwa! Ale oczywiście najłatwiej zrobić z Piechaczowej ofiarę! Ja mam być wszystkiemu winna? Temu, że lato suche, a zima mroźna, też?! – Od obrony Piechaczowa umiała przejść do ataku prawie niepostrzeżenie.

Dziadek przytłoczony tym potokiem słów czuł, że zaczyna tracić kontrolę nad sytuacją, a przewaga, którą miał, wyraźnie się zmniejsza. Na szczęście w tej samej chwili zobaczył na ulicy swoje wnuki w towarzystwie jakiegoś chłopca.

– W tej chwili zmuszony jestem skończyć rozmowę z panią. Proszę wziąć sobie moje słowa do serca. – Z udaną galanterią uchylił słomkowy kapelusz i ruszył w kierunku dzieci.

– Też coś! – prychnęła Piechaczowa i wróciła do domu.

Widzowie na ulicy byli nieco rozczarowani. W duchu spodziewali się, że kłótnia przerodzi się w widowiskową bijatykę – zawsze byłoby o czym opowiadać podczas obiadu.

Dziadek podszedł do dzieci.

Ania i Piotrek wskazali na Jędrka.

– Dziadku, to jest właśnie Jędrek, chłopiec, który zamieszkał w strasznym domu.

Dziadek wyciągnął do niego dłoń.

– Witaj, odważny kawalerze. Mam nadzieję, że nie będziesz przejmował się opowieściami o tym domu... Tam naprawdę nie dzieje się nic nadzwyczajnego.

Mina Jędrka nie wskazywała jednak na to, aby uwierzył w słowa dziadka Antoniego.

6

Jędrek odkrywa zniknięcie mamy. Nieoczekiwana pomoc pana Wernera, kolekcjonera znaczków. Historia unikatowego znaczka „Inverted Jenny".

Jędrek wrócił do domu z torbą pełną zakupów. Dzięki rodzeństwu poznał już prawie wszystkich ważnych mieszkańców Lipek. Zakupy zrobił w największym sklepie należącym do Mietka Krótkiego, który był żywym przeciwieństwem swojego nazwiska – mierzył niemal dwa metry i rzadko kiedy korzystał z drabiny. Ale ją miał. Mietek Krótki w ogóle miał wszystko, czego człowiek potrzebował do życia. No, może nie do końca wszystko, ale na pewno to, co najważniejsze: czipsy, słodycze, napoje gazowane... Oczywiście dla tych, którzy nie doceniają najsmaczniejszego jedzenia na świecie, były też: sery, mleko, wędliny i warzywa oraz cała masa innych zbędnych do szczęścia (według Jędrka) drobiazgów, między innymi mydeł, past do zębów i proszków do prania. Dzieci pokazały Jędrkowi dom organisty, który miał w ogrodzie imponującą kolekcję porcelanowych krasnali (naliczyły, że jest ich prawie trzydzieści), a potem zaprowadziły go do cukierni pani Zosi, która od razu poczęstowała ich słodkimi bułkami. Niedaleko cukierni spotkali pana Wernera, który miał wielkie uszy i wielki brzuch, i grzecznie mu się ukłonili, otrzymując w zamian jedynie życzliwy ruch brwi. Przy okazji Jędrek dowiedział się, kogo ma w miasteczku unikać. Według Ani i Piotrka przede wszystkim grupy Wojtka Zydla. Ten szesnastoletni chłopak ciągle pakował się w jakieś afery, łobuzował i zastraszał młodszych. Niektórym chłopakom imponowały jego wybryki, więc trzymali z nim i traktowali jak przywódcę. Mimo że posterunkowy miał Zydla zawsze na oku, lepiej było go omijać. Ku wielkiej radości Jędrka okazało się przy okazji, że w Lipkach znajduje się kawiarenka internetowa. Mieściła się w budynku szkoły, w zaadaptowanej piwniczce, i co prawda miała tylko cztery komputery, ale to już było coś.

Jędrek położył zakupy na stole i spojrzał w okno. Mamy nie było w ogrodzie. Przeszedł do kuchni, potem do łazienki, ale nigdzie jej nie znalazł.

– Mamo! Wróciłem! – zawołał. – Wiem, trochę to długo trwało, przepraszam!

Ale kiedy nie odpowiedziała na wołanie, Jędrek zaniepokoił się. Wbiegł po schodach, pokonując od razu po dwa stopnie. Zajrzał do jednego z przygotowanych do remontu pokojów, ale tam również mamy nie było. Pełen złych przeczuć spojrzał na schody prowadzące na strych.

– Niemożliwe przecież, żeby weszła tam sama... Na pewno jest w ogrodzie.

Zbiegł na dół i wybiegł przed dom. Przeszedł cały teren, wciąż nawołując, ale bez odzewu. Jedynym miejscem, do którego jeszcze nie zajrzał, był strych. Okienko na dachu było uchylone. Jędrek wrócił do domu i wszedł po schodach na strych. Gdy z bijącym sercem stanął przed jego drzwiami, miał już pewność. Mama musiała tam być. Drzwi były uchylone i nosiły ślady stoczonej walki, jak po włamaniu.

– Mamo? – zawołał i wszedł do środka.

Nie miał latarki, więc nie mógł dokładnie stwierdzić, co znajduje się w środku. Smuga światła od strony okna oświetlała jedynie część pomieszczenia, reszta ginęła w mroku. Jędrek wszedł dalej, poruszając się trochę po omacku. Po chwili oczy przyzwyczaiły się do ciemności. Oprócz wielu gratów, dziwnych przedmiotów i starych mebli nie dostrzegł niczego innego. Sprawdził jeszcze raz całe pomieszczenie, zaglądając we wszystkie zakamarki – mamy nigdzie nie było. W pewnej chwili dostrzegł na podłodze podłużny przedmiot. To była latarka. Jędrek podniósł ją i włączył. Snop światła rozświetlił strych. Teraz dopiero zobaczył, ile skarbów kryje się w tym miejscu, i gdyby nie konieczność znalezienia mamy, na pewno rozpocząłby szperanie. Latarka stanowiła ślad. Mama na pewno tu była. Ale gdzie się podziała? Może znalazła na strychu coś niezwykłego albo przestraszyło ją coś i uciekła? A może coś ją tutaj napadło? Chłopak nie chciał nawet o tym myśleć. Był na siebie zły, że wrócił do domu tak późno. Może gdyby był na miejscu, nic by się nie stało? O ile w ogóle coś się stało. Musiał to sprawdzić.

Zamknął dom i pobiegł w stronę miasteczka.

• • •

Ania i Piotrek kończyli właśnie obiad, słuchając narzekań mamy, która uważała, że wakacje to nie jest wystarczający powód, aby znikać z domu na całe dnie. Jej zdaniem dzieci za dużo czasu spędzały w okolicy starego domu, który nie cieszył się dobrą opinią.

– Obiecałeś tacie, że pomożesz przy motorze, przecież cieszyłeś się, że ci pozwolił.

– Tak, mamo... ale... – Piotrek nie wiedział, jak jej powiedzieć, że w porównaniu z tajemnicą starego domu motor wydaje się mało atrakcyjny.

– Ty mówisz „ale", a tata siedzi w garażu i sam dłubie przy tym... – Tutaj mama zawahała się, szukając właściwego słowa; słowa, które z jednej strony oddawałoby to, co ona sama myśli o starych motorach, a równocześnie było odpowiednio pedagogiczne i nie podważyło niczyjego autorytetu – ...przy tym zabytku klasy zerowej – dokończyła zadowolona ze swojej zmyślności.

– A wiesz, mamo, że dziadek pokłócił się z panią Piechaczową? – Ania postanowiła zmienić temat.

Mama, słysząc to, zamarła z łyżką zupy nad talerzem.

– Co zrobił?

– Pokłócił się...

– O co? Kiedy?

– Nie wiem o co. Stali na ulicy, dziadek wymachiwał laską, pani Piechaczowa rękami...

– No, tego jeszcze brakowało. Akurat z nią!

– Ale dziadek na pewno ma rację, on nigdy nie robi niczego bez powodu.

– To jest zupełnie nieważne. Pani Piechaczowa jest jak... – Mama znowu zawahała się, aby nie określić sąsiadki w sposób niepedagogiczny. – Ona jest jak huragan. A nikt przy zdrowych zmysłach nie walczy z żywiołem.

– To dziadek nie jest przy zdrowych zmysłach? – zapytał niewinnie Piotrek.

– Nie bądź taki dowcipny, dobrze? – Mama zmarszczyła brwi.

Wstała od stołu. Zupełnie straciła apetyt.

W tej samej chwili rozległo się pukanie.

– Piotrek, otwórz. Mam tylko nadzieję, że to nie pani Piechaczowa ze skargą na mojego ojca...

Piotrek poderwał się i pobiegł do drzwi. Stał w nich Jędrek. Wyglądał na zdenerwowanego.

– Musicie mi pomóc.

– Co się stało?

– Moja mama zniknęła.

Po wielu zapewnieniach, że będą więcej czasu spędzać w domu, pomogą ojcu przy motorze, a nawet pozmywają po kilku posiłkach, mama Ani i Piotrka dała się ubłagać i wypuściła ich z domu. Cała trójka szła teraz w stronę dworku, ustalając plan działania.

– Byłeś wszędzie? Wszystko sprawdziłeś? – upewniała się Ania.

– Tak. W domu jej nie ma, w ogrodzie też nie... żadnej kartki, informacji... znalazłem tylko to... – Jędrek wyciągnął z kieszeni latarkę.

– Czyli była na strychu – szybko oceniła znalezisko Ania.

– Tak, na pewno – potwierdził.

– Trzeba jeszcze raz wszystko sprawdzić, mogłeś coś przeoczyć. – Ania była spokojna i rzeczowa.

– A może już wróciła? – zapytał Piotrek. – Mogła przecież pójść do budki turystycznej po coś do picia.

Jędrek przyznał, że nie pomyślał o tym. Ale kiedy przybyli do domu, okazało się, że mamy nadal nie ma. Jeszcze raz obeszli cały teren, ogród i pokoje w domu. Bez skutku. Ewa Rosochacka zniknęła.

– Dobrze patrzyłeś na tym strychu? – spytała Ania.

– Tak, tam są tylko jakieś graty – zdenerwował się Jędrek.

– Może się schowała? – zaryzykował śmiałą hipotezę Piotrek.

– Oczywiście i przygląda się nam, umierając ze śmiechu – powiedziała drwiąco Ania. – Już nie myśl lepiej...

– Znalazła się mądra – fuknął pod nosem obrażony Piotrek.

– No to chodźmy na strych, może znajdziemy tam jakieś inne ślady.

Tym razem nawet Ania przyznała, że nie zaszkodzi rzucić okiem.

Po kilku minutach byli już na strychu. Jędrek oświetlił wnętrze latarką. Na zakurzonej podłodze widać było ślady butów. Idąc wytyczoną przez nie ścieżką, łatwo było określić, jak wyglądała trasa Ewy Rosochackiej.

– Najpierw podeszła do tych skrzyń... Potknęła się o harmonię... – analizowała Ania.

– Skąd wiesz? – zdziwił się Jędrek.

– Jest przesunięta, o jakieś pół metra... Potem próbowała otworzyć skrzynię. Widzicie? Przy zamku kurz jest zupełnie wytarty, a tu, na pokrywie, są ślady palców...

Chłopcy kiwnęli głowami. Byli pod wrażeniem śledztwa, jakie prowadziła Ania.

– Potem zobaczyła tę szafę i szybko do niej podeszła.

– Rany, teraz to zmyślasz! Skąd możesz wiedzieć, czy podeszła szybko, czy wolno? – nie wytrzymał Piotrek.

– Mogę – powiedziała z wyższością Ania – wystarczy patrzeć tak, żeby zobaczyć, mądralo.

– No to skąd wiesz?

– Właśnie, skąd? – Jędrek również nie miał pojęcia, jak Ania na to wpadła.

– Ech, wy detektywi. Zobaczcie... ślady od drzwi są inne. Popatrzcie na odstęp jednego buta od drugiego. Odległości są niewielkie. Czyli kiedy weszła, szła powoli i ostrożnie. Zresztą wcale jej się nie dziwię. A teraz spójrzcie na ślady w stronę szafy. Stawiała większe kroki, pewniejsze, czyli szła szybciej. Proste?

– Nieźle... – Jędrek spojrzał na Anię z podziwem.

– Ona ciągle czyta kryminały. Najbardziej lubi tego Sherlocka Holmesa. – Piotrek chciał trochę zakpić z siostry, zły, że to nie on wyciągnął te wszystkie genialne wnioski. – Tak czyta, że już wszystkie kartki wypadają...

– Lubię Holmesa, żebyś wiedział. A kartki wypadają, ponieważ książka jest stara, dostałam ją od dziadka – broniła się urażona Ania.

Kiedy rodzeństwo częstowało się codzienną porcją przekomarzań, Jędrek podszedł do szafy.

– Tutaj to są dopiero dziwne ślady.

Ania zbliżyła się do szafy, a chłopcy przyglądali się jej w oczekiwaniu. Kurz na meblu starty był w wielu miejscach. Na dole, na górze, na ściankach i przy uchwycie na drzwiach.

– No, proszę, jak to wyjaśnisz? – zapytał zaczepnie Piotrek.

– To wygląda tak, jakby ją głaskała – powiedziała w końcu Ania.

– Szafę?

– Wiem, to dziwne, ale tak. Ślady palców są wszędzie...

– Po co to robiła?

– Nie wiem, mogę tylko zgadywać.

– Może coś ją opętało? – Piotrek nie mógł uwierzyć, że można głaskać mebel.

– Nic jej nie opętało. – Ania obejrzała dokładnie szafę ze wszystkich stron. – To po prostu piękna szafa. Jesteście facetami i nigdy tego nie zrozumiecie.

– E tam... – wzruszył ramionami Piotrek.

– Nie „e tam", tylko nasz tata głaszcze teraz w garażu swój stary motor. Tak samo jest z tą szafą.

Ania chwyciła za rączkę na drzwiach i próbowała otworzyć szafę, ale drzwi były zamknięte.

– Może zatrzasnęła się w środku i z wrażenia zemdlała? – powiedziała.

– Moja mama nie mdleje – odparł z godnością Jędrek. – Kiedyś nawet wlazła na zaskrońca w lesie i nic.

Nagle z najbardziej zacienionej części strychu doleciał ich dziwny dźwięk. Było to kilkakrotne puknięcie połączone z czymś w rodzaju jęku. Jędrek poświecił latarką w tamtym kierunku. Do miejsca, które oświetlił, nie prowadziły żadne ślady. Dzieci spojrzały po sobie. W tym momencie dotarło do nich, że brak śladów butów świadczy o tym, że nie tylko mamy, ale i nikogo innego od dawna tam nie było. A jeśli tak, to dźwięk mógł pochodzić jedynie od... Właśnie, od czego? O tym woleli na razie nie myśleć.

– W nogi! – zawołał Piotrek i cała trójka rzuciła się w stronę drzwi.

Zbiegali po schodach, jakby się paliło. Wypadli na dwór z impetem, zziajani i zakurzeni.

– Co to było?! – zawołała Ania.

– To ty nam powiedz, detektywie! – zawołał Piotrek.

– A wasz dziadek mówił, że tu się nic nie dzieje... ładne mi nic... – Jędrek otrzepywał się z kurzu.

– Może twoją mamę też to wystraszyło? – zastanowiła się już spokojniejsza Ania.

– Jeśli nawet, to gdzie teraz jest?

– Musimy iść po pomoc do pana Henia – zdecydowała Ania.

Nie zastali jednak pana Henia w domu. Jego żona powiedziała, że pojechał usunąć awarię w kawiarni i wróci bardzo późno. Odeszli zmartwieni, nie bardzo wiedząc, co powinni dalej zrobić. Jędrek próbował nie pokazywać przed Anią i Piotrkiem, jak bardzo się denerwuje. A denerwował się strasznie. Dopiero teraz uświadomił sobie, jak ważna jest mama w jego życiu. Odkąd ojciec zajęty swoimi wyprawami naukowymi pojawiał się w domu sporadycznie, ona przejęła funkcję rodzinnego generała. Decydowała, rządziła, rozdawała awanse. I o ile w zwyczajny, szary dzień jej rola była niedostrzegalna, o tyle teraz, gdy znikła, Jędrek poczuł się bardzo zagubiony. A jeśli już jej nie zobaczy? Nie będzie z niego ściągała rano kołdry i nie będzie robiła tych swoich śmiesznych min? Na samą myśl zrobiło mu się słabo. Mama musi się znaleźć. On obiecuje sprzątać w mieszkaniu, uczyć się na samych piątkach, myć uszy, nie wyjadać kotletów przygotowanych na następny dzień, odrabiać lekcje...

Rodzeństwo usłyszało, jak Jędrek mruczy coś pod nosem monotonnie.

– Ona musi się znaleźć – szepnęła Ania do brata.

– No. Inaczej, kurczę, klops... załamie się chłopak – potwierdził Piotek.

• • •

Pan Werner zbliżał się do przystanku przy szosie. Szedł powoli, w tempie, na jakie pozwalała mu jego tusza. Mimo wielkiej postury i opinii nerwusa był osobą łagodną, przypominającą trochę w usposobieniu starego afrykańskiego słonia, który pogodzony z losem spokojnie przemierza sawannę. Oczywiście prawdą było, że pan Werner wyprowadzony z równowagi potrafił wykazać się dużym temperamentem, ale zdarzało się to niezmiernie rzadko, głównie wtedy, gdy ktoś w niewybredny sposób naigrawał się z jego uszu lub nadwagi. Nikt nie wiedział, że pan Werner próbował już wielu diet i wielu sposobów, aby trochę go ubyło. Niestety, wszystkie te próby okazały się bezskuteczne. W końcu stwierdził, że widocznie los przeznaczył dla niego nieco więcej kilogramów niż dla innego przeciętnego mieszkańca ziemi, i walki z tuszą zaniechał. Jego wielką pasją było zbieranie znaczków i z nimi łączyła się właśnie jego wyprawa. Zamierzał bowiem dokonać korzystnej dla siebie wymiany znaczków z kolekcjonerem z sąsiedniego miasteczka.

Gdy pan Werner podszedł do przystanku, zatrzymał się zdziwiony. Na ławce leżała młoda kobieta i spała. Choć trochę brudna, była dobrze ubrana i nie wyglądała na włóczęgę. Ułożona wygodnie z głową opartą na dłoniach uśmiechała się – najwidoczniej śniło jej się coś przyjemnego.

Pan Werner przysiadł na jedynym wolnym skrawku ławki i chrząknął. Chciał elegancko dać kobiecie do zrozumienia, że ławka na przystanku nie jest najlepszym miejscem do spania. Kobieta jednak nawet się nie poruszyła. Nadal leżała z półuśmiechem, zupełnie zatopiona w sennych marzeniach. Jedyny wolny skrawek był bardzo niewygodnym miejscem, ponieważ część pana Wernera zwisała poza ławkę i było oczywiste, że tęgi jegomość długo w tej pozycji nie wytrzyma. Na domiar złego kobieta bezwiednie wyprostowała nogę, napierając na pana Wernera i jedyną pozostawioną mu przestrzeń.

Pan Werner chwycił za oparcie ławki, starając się utrzymać na niej za wszelką cenę, jakby był na pokładzie jedynej ocalałej szalupy ratunkowej na wzburzonym oceanie. Był świadom, że dalsze wspólne przebywanie na ławce nie ma sensu. Podparł się, stęknął i wstał. Na szczęście dostrzegł w oddali nadjeżdżający autobus PKS. „Za chwilę usiądę wygodnie" – pomyślał.

– Proszę pani... Autobus nadjeżdża... – powiedział cicho i trącił kobietę w ramię.

Kobieta poruszyła się i otworzyła oczy. Leżała chwilę w bezruchu, starając się zorientować, gdzie jest, potem usiadła. Jej włosy były w nieładzie.

– Co się stało? – Ewa Rosochacka (bo ona była ową kobietą) wyglądała na lekko oszołomioną.

– Jest pani na przystanku. Spała pani, kiedy przyszedłem – wyjaśnił spokojnie pan Werner.

– To niemożliwe, jak to się mogło stać? Nic nie pamiętam... – Ewa popatrzyła zdezorientowana na Wernera, jakby oczekiwała od niego wyczerpujących wyjaśnień.

– Nie wiem, proszę pani. Jedzie pani? – spytał, wskazując na podjeżdżający na przystanek autobus.

– Ja muszę wrócić do syna! Nie wiem, gdzie jestem! – Ewa była przerażona.

Drzwi autobusu otworzyły się i wysiadło z niego kilka osób.

– Jedzie się? – zawołał kierowca do Wernera.

Pan Werner nie bardzo wiedział, co ma robić. Z jednej strony nie chciał rezygnować z podróży, dzięki której mógł dokonać najlepszej transakcji swojego życia, z drugiej, nie mógł zostawić tej kobiety bez pomocy.

– Nie, nie jedzie – powiedział w końcu, a kierowca zatrzasnął drzwi i autobus odjechał.

Werner usiadł na ławce obok Ewy.

– Pamięta pani, gdzie mieszka? – spytał łagodnie.

– Nie wiem... Chyba tak... – Ewa rozejrzała się. – Co ja tutaj robię...?

– Zaraz wszystkiemu zaradzimy. Proszę się nie denerwować. – Pan Werner zafrasowany podrapał się po głowie. – Jednak byłoby lepiej, gdyby coś sobie pani przypomniała...

• • •

Jędrek schował głowę w dłoniach. Siedział na pniu drzewa w ogrodzie i starał się zapanować nad ogarniającym go coraz większym niepokojem. Ania siedziała obok, zasmucona i przejęta. Ponury wygląd domu pasował teraz do ich nastroju.

– Może pójść do posterunkowego? – zapytał Piotrek, który odzyskał swój model statku i wykonywał nim w powietrzu falujące ruchy.

Zachowanie nie licowało z powagą sytuacji i Ania skarciła go wzrokiem. Piotrek niechętnie odłożył zabawkę.

– Kurczę, gdzie ona jest? – Jędrek był coraz bardziej zdenerwowany.

W tej samej chwili brama ogrodzenia skrzypnęła i na podwórze wkroczył pan Werner, a z nim trzymająca go pod rękę Ewa Rosochacka.

– Mamo! – Jędrek poderwał się szczęśliwy. – Gdzie byłaś?!

Chłopiec podbiegł do mamy i wtulił się w nią mocno. Wcale nie obchodziło go to, że przyglądają się temu Ania i Piotrek i być może nazwą maminsynkiem – niech patrzą, trudno. Najważniejsze było to, że mama odnalazła się cała i zdrowa. No, może trochę brudna.

Gdy Ewa doprowadziła się do porządku, postanowiła podjąć pana Wernera w domu herbatą i ciastem w dowód wdzięczności za pomoc, jakiej jej udzielił. Po chwili pan Werner, mama Jędrka i dzieci siedzieli przy stole w salonie i nietrudno było zauważyć, kto zajmuje najwięcej miejsca w pokoju.

Pan Werner starał się siedzieć w bezruchu, dostojnie, tym bardziej że za każdym razem, gdy się poruszył, krzesło skrzypiało ostrzegawczo. Popijał herbatę małymi łykami, a mama opowiadała. Nie, najpierw Jędrek zasypał ją pytaniami. Jak to się stało, że znalazła się na przystanku? Czy pamięta, co robiła wcześniej? Czy nic ją nie boli i czy dobrze się czuje? Dopiero po chwili Ewa Rosochacka doszła do głosu.

– Niewiele pamiętam. Sprzątałam... łazienkę, kuchnię... A potem poszłam na ten piekielny strych. Tak, na pewno tam weszłam... Chodziłam tam, oglądałam różne rzeczy i dalej nie wiem. Ciemność.

– Ktoś cię uderzył? Napadł?

– Nie. Po prostu nic nie pamiętam.

– Jak można zupełnie nic nie pamiętać? – nie mógł zrozumieć Jędrek.

– Można – odezwał się nagle pan Werner. – Ja na przykład zupełnie nie pamiętam, kiedy byłem szczupłym mężczyzną.

Ponieważ o tuszy pana Wernera nie wolno było mówić, dzieci nie wiedziały, czy wypada się roześmiać. Ale Ewa nie miała takich oporów. Zaśmiała się i popatrzyła na Wernera z sympatią.

– Mój wybawca w drodze do domu raczył mnie bardzo zabawnymi historiami. Macie przed sobą jedną z najdowcipniejszych osób, jakie znam – powiedziała z takim przekonaniem, że po raz pierwszy dzieci dostrzegły w Wernerze kogoś innego niż tylko osobnika przypominającego wielką górę.

– Pani natomiast jest jedną z najbardziej oryginalnych. Leżakowanie na przystanku to rzecz niezmiernie oryginalna – uśmiechnął się pan Werner.

– Mamo, a możesz sobie przypomnieć, co robiłaś na krótko przed tym, zanim straciłaś przytomność?

Ewa zamyśliła się. Widać było, że bardzo się stara, ale bez efektu.

– Myślę, że powinieneś dać swojej mamie więcej czasu... – odezwał się pan Werner. – Szczegóły zdarzeń przypominają się znacznie później. Ja na przykład zgubiłem gdzieś bardzo wartościowy znaczek. Jeden z droższych w mojej kolekcji. To był znaczek wydany w tysiąc dziewięćset dwudziestym siódmym roku, w pierwszą rocznicę prezydentury Ignacego Mościckiego. Szukałem go przez dobrych kilka godzin święcie przekonany, że ktoś wtargnął do mojego domu i znaczek ukradł. Wiem, że może się to wydać niemożliwe, ale wtedy naprawdę poruszałem się po mieszkaniu jak błyskawica. – Dzieci zachichotały, a Werner tylko lekko się uśmiechnął. – Tak było. W końcu przypomniałem sobie, że schowałem go gdzieś indziej niż zwykle, właśnie w obawie przed kradzieżą. Kryjówka okazała się niedostępna nawet dla mnie.

– A czy jest jakiś znaczek, który chciałby pan mieć w swojej kolekcji? – spytała Ania.

– O tak... – Pan Werner westchnął i upił trochę herbaty z filiżanki. – To znaczek zupełnie specjalny.

– Jaki?

Dzieci wydawały się zaskoczone. Nigdy nawet nie przypuszczały, że pan Werner i temat znaczków pocztowych mogą być tak interesujący, a tymczasem teraz siedziały w napięciu, czekając na odpowiedź.

– To legendarna „Inverted Jenny".

– A co w tym znaczku jest tak niezwykłego? – spytał Jędrek.

– Naprawdę chcecie wiedzieć? – zapytał Werner, mrużąc oczy, i widać było, że mówienie o tym znaczku jest, poza jedzeniem słodyczy, jedną z jego ulubionych czynności.

– Tak – powiedzieli wszyscy niemal równocześnie.

– Ten znaczek wydała w tysiąc dziewięćset osiemnastym poczta amerykańska. Przedstawiono na nim samolot Curtiss JN-4, o którym lotnicy amerykańscy mówili pieszczotliwie Jenny – opowiadał Werner. – Niedługo po tym, jak znaczki znalazły się w sprzedaży, w pewnym urzędzie pocztowym na New York Avenue pojawił się niejaki pan William Robey. Zapytał o nowo wydany znaczek, a gdy mu pokazano, wśród zaprezentowanych znaczków dostrzegł jeden, który różnił się wyglądem od pozostałych...

– Czym? – Piotrek wpatrywał się w Wernera z przejęciem.

– Wśród stu arkuszy, które mu pokazano, tylko na jednym sylwetka samolotu była wydrukowana... do góry nogami. Pan Robey czym prędzej zakupił arkusz i stał się posiadaczem zupełnie unikatowych znaczków. Przez lata wyprzedawano je różnym kolekcjonerom...

– Czy to jest drogi znaczek? – spytała Ania.

– Pan Robey kupił cały arkusz za dwadzieścia cztery dolary. Teraz jeden tylko znaczek z tą „wadą" druku osiągnął na aukcji u Roberta Siegela cenę... dwóch milionów siedmiuset tysięcy dolarów.

– Rany boskie! – wyrwało się pani Ewie, która słuchała z zainteresowaniem opowieści Wernera. – Tyle za zwykły znaczek?!

– To nie jest zwykły znaczek. To legenda. Rarytas. Taką cenę płaci się zawsze za coś unikatowego. Płaci się za to, żeby mieć coś, czego nie ma nikt inny na świecie. – Pan Werner rozejrzał się po pokoju. – Ten dom też jest zupełnie wyjątkowy. I jest trochę jak „Inverted Jenny", jakby zbudowany do góry nogami, prawda?

Wszyscy, dzieci i Ewa, spojrzeli na pokój, jakby był częścią unikatowego arkusza ze znaczkami poczty amerykańskiej.

– A wie pan? Coś w tym jest. Na moim strychu znalazłam zupełnie wyjątkową szafę... Myślę, że niewiele jest takich w kraju... – mama Jędrka odzyskiwała pamięć.

– No widzi pani. – Werner uśmiechał się i dopił herbatę. – Na mnie już czas. Dobrze, że wszystko szczęśliwie się skończyło.

Krzesło skrzypnęło i tęgi kolekcjoner wstał od stołu.

– Proszę do nas zaglądać, kiedy tylko będzie pan w okolicy. – Ewa podała Wernerowi dłoń, a ten ucałował ją z galanterią.

Gdy gość i wybawca poszedł, mama postanowiła zabrać się do robienia obiadu, więc cała trójka wyszła do ogrodu. Zdecydowali, że jeszcze raz przeanalizują całe zdarzenie. Nazwali je „Zniknięcie mamy".

– Szkoda, że nic nie pamięta – westchnął Piotrek.

– Przypomni sobie, pan Werner ma rację. Szczegóły dochodzą później.

– Ale wiemy przecież, które miejsce było ostatnim, w jakim stała – powiedział spokojnie Jędrek.

– Myślisz o szafie? – spytała Ania.

Jędrek kiwnął głową.

– Magiczna szafa przeniosła ją na przystanek? – zaśmiał się Piotrek.

– Nie śmiej się. Tak mogło być – mruknął Jędrek.

– Przejście przez szafę do innego wymiaru? Nie chce mi się wierzyć – powątpiewała Ania. – To byłoby za proste.

– A co innego mogło się zdarzyć?

Na to pytanie Jędrka rodzeństwo nie umiało już jednak odpowiedzieć. Ustalili, że następnego dnia wejdą na strych i jeszcze raz przyjrzą się meblowi.

7

Banda Wojtka Zydla próbuje zastraszyć Jędrka. Dzieci poddają badaniom tajemniczą szafę. Kto ukradł kury Piechaczowej? Aresztowanie Jakuba.

Wojtek przeskoczył przez płot, a znalazłszy się w ogrodzie, gwizdnął. Po chwili trzech innych chłopaków pojawiło się na płocie i zeskoczyło na teren ogrodu. Wojtek położył palec na ustach, nakazując im milczenie. Cała czwórka zajęła miejsce za krzakami agrestu, skąd mieli widok na straszny dom. Przed budynkiem nic się nie działo, nie widać było też żadnego z domowników.

– Teraz bądźcie cicho – przykazał Wojtek. – Musimy go dorwać, kiedy będzie sam.

– A po co nam on? – zapytał Tomek, prawa ręka Wojtka, najwierniejszy kompan we wszystkich akcjach.

– Taki chłopak z Warszawy ma dużo kontaktów, na pewno jest nadziany... zawsze coś się od niego wyciągnie – mruknął Wojtek.

W tej chwili z domu wyszedł Jędrek z pełnym workiem na śmieci. Tak jak sobie obiecał, postanowił bardziej odciążać mamę w pracach domowych.

– Warszawiak... – prychnął Wojtek – grzeczny chłopiec.

Gdy Jędrek wystawił śmieci przed bramę i wrócił na podwórze, usłyszał gwizdnięcie. Spojrzał w stronę ogrodu i wtedy zobaczył Wojtka. Stał oparty o starą jabłoń i żuł gumę. Miał w spojrzeniu coś wyzywającego i zuchwałego.

– No? Jak się masz? Wakacje czy lądujesz w Lipkach na stałe? – zapytał z drwiącym uśmiechem.

Jędrek poczuł się nieswojo i nie bardzo wiedział, co odpowiedzieć.

– No co? Zbaraniałeś? A ja słyszałem, że warszawiacy są strasznie wygadani. To najwięksi cwaniacy, nie?

– Jak się tutaj dostałeś? – zapytał spłoszony trochę Jędrek.

– Normalnie.

– Normalnie to chyba przez bramę...

– To może ty, ja wchodzę, jak chcę.

– Czego chcesz?

– Pogadać. Możemy sobie pomóc.

– Niby jak? – zdziwił się Jędrek. – Ja nie potrzebuję żadnej pomocy.

– Tego to nie wiesz... Stary dom na odludziu, wszystko się może zdarzyć – powiedział tajemniczo Wojtek.

– O czym mówisz?

– O tym, że powinieneś trzymać z kimś, kto jest dobrze zorientowany w okolicy.

– Mówisz o sobie?

– No, przecież nie o tych dzieciakach, z którymi się zadajesz. To przedszkolaki. – Wojtek wypluł gumę na ziemię.

– Nieprawda. Są w porządku.

– Ale to nie oni obronią cię przez złym Jakubem, kiedy przyjdzie co do czego.

– Przed Jakubem? – nie zrozumiał Jędrek.

– Dopóki on będzie mieszkał w Lipkach, będą się działy złe rzeczy.

– Nie wydaje mi się... – zaczął Jędrek, ale Wojtek od razu mu przerwał.

– Tobie nic się nie może wydawać, bo za krótko tu mieszkasz. Jakub jest niebezpiecznym dziwakiem. Trzeba go stąd wykurzyć.

– Nikogo nie zamierzam stąd wykurzać – powiedział stanowczo Jędrek, zdobywając się na odwagę.

Z krzaków powychodzili kompani Wojtka. Cała czwórka spoglądała teraz na Jędrka z wyższością.

– Czego chcecie?

– Żebyś się namyślił, czy nie chcesz z nami trzymać.

– Nie, nie zamierzam.

– Na pewno?

Jędrek zawahał się. Wojtek był wysoki, dobrze zbudowany – przewyższał Jędrka o głowę. Taki silny kumpel zawsze mógł się do czegoś przydać. Jednak widok oczu Wojtka zmrużonych w cwanym uśmiechu przyspieszył podjęcie decyzji.

– Na pewno. Poradzę sobie.

– No to zobaczymy... – słowa Wojtka zabrzmiały jak groźba.

– Pamiętaj, to my rządzimy w Lipkach, żebyś nie żałował.

Dał kompanom znak głową i podszedł do płotu. Cała czwórka wspięła się zwinnie na ogrodzenie i zniknęła po chwili z pola widzenia. Jędrek został sam. Przeczuwał, że to nie jest ostatnie spotkanie z Wojtkiem Zydlem.

Tymczasem w domu pojawił się pomocny i energiczny pan Henio. Mama Jędrka zdecydowała, że trzeba raz na zawsze zrobić porządkiem ze światłem na strychu. Teraz, kiedy wiedziała, że znajduje się tam piękna szafa, potrzebowała światła jak spragniony wody na pustyni. Mebel trzeba było obejrzeć, a korzystając z obecności pana Henia, również znaleźć sposób na zniesienie go ze strychu do salonu. Pan Henio zaraz od progu zapytał Ewę o zdarzenie na przystanku. Miasteczko było małe, wieści roznosiły się lotem błyskawicy, niemal tak szybko jak agresywny wirus grypy. Ewa nie potrafiła powiedzieć niczego ponad to, że na strychu straciła przytomność i odzyskała ją dopiero na przystanku. Panu Heniowi wydało się to bardzo dziwne. Nigdy nie spotkał się z czymś takim. To znaczy nie do końca. Po hucznym oblewaniu ciężkiego zadania na jednej z budów zupełnie stracił pamięć i nie wiedział potem, jak znalazł się we własnym łóżku. Ale tego już Ewie nie powiedział.

Zdarzenie nie miało magicznej aury, było raczej całkiem prozaiczne. Pan Henio obiecał, że jeszcze dzisiaj na strychu pojawi się światło.

Gdy przyszli Ania i Piotrek, Jędrek przywitał ich tą dobrą wiadomością.

– Ekstra. Łatwiej będzie przeprowadzić śledztwo – ucieszyła się Ania.

– Od czego zaczniemy? – spytał Piotrek.

– Wiadomo – szafa. To co? Idziemy? – Jędrek był gotów do akcji.

– A pan Henio? Trudno przy nim gadać o innych wymiarach – powątpiewał Piotrek.

– Będziemy mówić szyfrem – podjęła decyzję po chwili namysłu Ania.

– Jakim?

– Kiedy powiem na przykład, że... – Ania zamyśliła się – kaczki wylądowały na wieżowcu, będzie znaczyło: tak, ta szafa jest podejrzana.

– Dlaczego na wieżowcu? – zdziwił się Piotrek.

– A dlaczego nie? To szyfr.

– Aha – zgodził się Piotrek bez przekonania.

– A kiedy powiem: kaczeńce w tym roku zmieniły kolor na fioletowy, to będzie znaczyło: trzeba ją otworzyć.

– A jak powiedzieć „teraz uciekamy, bo wyłazi z niej coś strasznego"?

– Piotrek, jeśli coś wyjdzie, to weźmiesz nogi za pas i nic nie będziesz mówił – zaśmiała się Ania.

– To co? Idziemy? – powtórzył pytanie Jędrek, a Ania i Piotrek uznali, że najwyższy czas rozpocząć akcję.

Trójka przyjaciół weszła do domu. O wizycie Wojtka Zydla Jędrek postanowił powiedzieć im później.

• • •

Pani Piechaczowa zaczynała dzień od obejścia niewielkiego ogródka na tyłach domu. Miała tam część warzywną, z marchewką, pietruszką i pomidorami. Zbiory z tego ogródka nie były wielkie, ale w zupełności zaspokajały jej potrzeby. Część ogrodowa z kwiatami wielu gatunków zajmowała o wiele więcej miejsca i była traktowana z wielką dbałością – kwiaty Piechaczowej cieszyły się sławą w okolicy, a sama ich właścicielka była z tego powodu szalenie dumna. W ogródku mieścił się również niewielki kurnik, jedyny w samym środku miasta. Piechaczowa była ważnym dostawcą jajek w Lipkach, reklamowanych jako zdrowe i ekologiczne, hodowane tylko na zdrowej i dobrej karmie. Karmę stanowiły resztki ciasta z imienin, ziemniaki z obiadu i mnóstwo innych przysmaków z pańskiego stołu. Nic dziwnego, że kury na takim pożywieniu rosły niemal w oczach, były tłuściutkie i odwdzięczały się Piechaczowej regularną dostawą jajek. W ptasim świecie uchodziły prawdopodobnie za bardzo szczęśliwe. I tak trwała spółka Piechaczowej z kurami ku uciesze mieszkańców, którzy chwalili sobie efekt ich współpracy.

Piechaczowa fachowym wzrokiem oceniła wygląd kwiatów, wyrwała kilka chwastów i skierowała się do kurnika. W misce miała przygotowane same przysmaki – spory kawałek zeschniętego ciasta, kawałki namoczonej bułki i utłuczone skorupki od jajek. Podeszła do komórki i zdjęła skobel z drzwi. Dopiero teraz uświadomiła sobie, że coś jest nie w porządku. Wreszcie dotarło do niej, że z komórki nie dochodzi żaden odgłos. A przecież kury, słysząc, że nadchodzi, od razu podnosiły radosną wrzawę. Zdjęta niepokojem otworzyła drzwi i zajrzała do środka. W kurniku nie było ani jednej z jej pięciu kur.

– Rany boskie! – zawołała. – Ukradli mi kury! Ludzie! Złodzieje!

Z okolicznych okien wychylili się sąsiedzi.

– Ukradli kury! Policja! – lamentowała Piechaczowa.

110

– Jak to ukradli?! – zawołał któryś z sąsiadów.

– Nie ma! Ani jednej!

– Pani biegnie do posterunkowego, może jeszcze ich złapie!

Piechaczowa postawiła miskę na ziemi i zdenerwowana wbiegła do domu.

• • •

Pan Henio dłubał specjalnym śrubokrętem w kontakcie przy drzwiach strychu. Gdy zobaczył dzieci, od razu chciał je przegonić; łażenie po ciemnym strychu nie wydało mu się dobrym pomysłem.

– Zrobię światło, to wszystko dokładnie obejrzycie – powiedział. – Teraz nie ma co tu chodzić.

– Ale my będziemy uważać. – Ania uśmiechnęła się najmilej, jak potrafiła. – Wejdziemy, popatrzymy i pójdziemy.

– Po co, jak i tak nic nie widać? Tylko się wybrudzicie.

– Ja w ciemności świetnie widzę – pochwalił się Piotrek, mrugając dyskretnie do Jędrka.

Pan Henio dał w końcu za wygraną.

– Idźcie, ale uważajcie. Jakby coś – ostrzegałem.

– Oczywiście, będziemy uważać – znowu grzecznie odpowiedziała Ania.

Po chwili szli znaną już sobie trasą – obok wielkiej skrzyni okutej żelaznymi sztabami, harmonii, wprost ku wielkiej szafie. Spojrzeli na nią uważniej niż przedtem. Była rzeczywiście ładna i nic dziwnego, że Ewa Rosochacka tak oszalała na jej punkcie. W półmroku trudno było oczywiście w pełni docenić jej urodę, ale od strony okna padało dość światła, aby dostrzec, z jakim kunsztem została wykonana. Na drzwiach znajdowały się artystycznie wyrzeźbione elementy kwiatowe, a w kilku miejscach lśniły delikatne złocenia. Na początek sprawdzili, czy szafa nadal jest zamknięta. Pan Henio zerkał na nich od drzwi, żałując, że wpuścił ich do środka.

– Czy ustaliliśmy szyfr na zdanie: w tej szafie nie ma nic podejrzanego? – zapytał złośliwie Piotrek.

Ania nie odpowiedziała. Oglądała szafę ze wszystkich stron, opukując ją od czasu do czasu. I nagle coś ją olśniło.

– Kaczki wylądowały na wieżowcu – powiedziała przejęta.

Piotrek i Jędrek spojrzeli po sobie. Pan Henio, który usłyszał Anię, zmarszczył brwi: „Kaczki wylądowały na wieżowcu? A cóż to może znaczyć?".

– Zobaczyłaś coś?

– Oczywiście.

– Szkoda, że nie mam szyfru na cały dialog, możemy się nie dogadać – zachichotał Jędrek.

Ania spojrzała na niego urażona.

– Możemy mówić normalnie, tylko cicho – odrzekła z godnością.

– Mówimy więc – co jest z nią nie tak? – dopytywał się Piotrek.

– Szafa jest zamknięta, tak? – spytała szeptem Ania.

– Tak – potwierdzili obaj niemal równocześnie.

– I nic was nie dziwi?

– A co ma nas dziwić?

– No tak. Mogłam się tego spodziewać. Nic nie widzicie.

– Anka, ty przestań się tak mądrzyć, mów, co jest – szepnął zirytowany Piotrek.

– O ile wiem, tam gdzie są drzwi, jest i zamek z dziurką na klucz. No to gdzie on jest?

Dopiero teraz chłopcy zauważyli, że szafa nie ma zamka. Była tylko rączka, coś w rodzaju klamki.

– No to jak się ją zamyka i otwiera? – zdziwił się Jędrek.

– No właśnie... – Ania zrobiła tajemniczą minę. – Tam musi być albo ukryty mechanizm z przyciskiem, albo...

– Albo?

– Albo ona otwiera się na hasło.

– Na hasło?

– Widziałam coś takiego na filmie. Drzwi jakoś wiedzą, kto i co mówi, i otwierają się.

– Aha. Czyli to nie jest zwykła szafa.

– Tak, kaczeńce zmieniły kolor na fioletowy – powiedziała głośno Ania i pan Henio znowu się zdziwił. „Jakie znowu kaczeńce? I dlaczego fioletowe?".

– Ciekawe, dlaczego ktoś tak ją zabezpieczył... – zastanowił się Jędrek. Do tej pory pomysł, że szafa jest przejściem do innego wymiaru, był bardziej fantazją niż realną hipotezą. Teraz sprawa wyglądała inaczej. Istniało duże prawdopodobieństwo, że szafa rzeczywiście kryje w sobie fantastyczną tajemnicę.

– Sprawdźmy, czy ten przycisk gdzieś tu jest – zaproponował Jędrek.

Znalezienie przycisku uruchamiającego ukryty mechanizm było wyjściem o wiele prostszym niż odgadnięcie hasła, na które zareaguje szafa. Kucnęli i zaczęli dotykać każdego jej elementu.

„Jakie te dzieci są dziwne. Moje nigdy nie umiały bawić się zwykłym meblem, musiałem wymyślać im coraz to nowsze atrakcje – pomyślał pan Henio, widząc Anię, Piotrka i Jędrka zupełnie pochłoniętych starą szafą. – Takie dzieciaki są na wagę złota. Postawić im mebel i świata poza nim nie widzą".

Niestety, szafa nie miała żadnego magicznego przycisku. Stała dumna, wciąż niedostępna, patrząc na nich z wyższością, jak przystało na mebel, który wyszedł spod ręki frankfurckiego rzemieślnika. Młodzi detektywi nie kryli rozczarowania. Piotrek w desperacji zaczął po prostu szarpać za rączkę, ale Ania natychmiast go odciągnęła.

– Zepsujesz, przestań – ofuknęła brata.

– Pozostało nam tylko odgadnąć hasło... – mruknął Jędrek.

– Ten ktoś na pewno wymyślił coś bardzo trudnego – stwierdziła Ania. – Jeśli właścicielem szafy był hrabia, to dowiedzmy się czegoś o nim.

– Po co? – Piotrek nie miał zamiaru czytać niczego o jakimś hrabim.

– Może wpadniemy na trop? Ale ty jesteś niedomyślny. – Ania pokręciła głową.

– Moglibyśmy poszukać w internecie, tylko że mój komputer nie ma łącza. Możemy pójść do kawiarenki internetowej – zaproponował Jędrek.

Ania aż klasnęła w dłonie.

– To jest doskonały pomysł!

– Spytam tylko mamy, czy mnie puści, i możemy iść.

Trójka przyjaciół przebiegła obok pracującego pana Henia, jakby się paliło.

– Znaleźliście coś?! – zawołał za nimi, ale dzieci już go nie słyszały.

• • •

Tymczasem pani Piechaczowa zaalarmowała o kradzieży pół miasta. Nie było nikogo, kto nie wiedziałby, co przytrafiło się gadatliwej mieszkance. Trudno się też temu dziwić, ponieważ Piechaczowa stała na środku chodnika w towarzystwie komendanta Prockiego i lamentowała. Komendant co chwila zdejmował czapkę i przecierał chustką mokrą od potu łysinę.

– Ja już wiem, że ich nie ma, proszę nie powtarzać tego po raz setny.

– Muszę! Bo nic nie robicie, a tu chodzi o moje kury! – wołała zrozpaczona pani Piechaczowa.

Zmierzające do szkoły dzieci znalazły się w samym centrum zdarzenia. Wokół Piechaczowej i komendanta zebrał się już spory tłumek gapiów.

– Ja mam swoje podejrzenia, mam! A jakże! – wołała Piechaczowa. – Nie tak dawno był u mnie Antoni, odgrażał się i pouczał!

– Pani kochana, niech pani nie opowiada głupstw – jęknął zmęczony komendant. – Antoni miałby pani kury kraść?

Kilka osób, które najwidoczniej znały dziadka Ani i Piotrka, zaśmiało się. Posądzenie Antoniego o kradzież było tak niedorzeczne, że aż zabawne.

– Więc kto? Ja przecież nie mam wrogów! – nie odpuszczała Piechaczowa.

Tego komendant Procki już nie skomentował.

– Proszę pójść do domu, my się wszystkim zajmiemy.

– Jak ja mam iść do domu, kiedy moje bidulki w obcych rękach! – zawołała Piechaczowa.

– Może już nie kury, ale rosół! – krzyknął ktoś z tłumu.

Na ten okrzyk kobieta aż zagotowała się w środku.

– Proszę nawet nie mówić takich rzeczy!

Cała sytuacja była równie dramatyczna, co komiczna. Chłopcy chętnie zostaliby i popatrzyli na rozwój wypadków, ale Ania zdecydowała za nich.

– Mamy teraz na głowie ważniejsze rzeczy niż kury, chodźcie.

Niechętnie udali się za nią, mając tylko nadzieję, że wizyta w kawiarence na coś się przyda. Po pięciu minutach byli już przed szkołą. W małej kawiarence internetowej zajęte były trzy z czterech obecnych komputerów. Mieli więc szanse już dzisiaj dowiedzieć się czegoś o właścicielu dworku w Lipkach. Łatwo powiedzieć, trudniej zrobić. Młodzi detektywi nie mieli pojęcia, gdzie szukać. Przed monitorem zasiadł Jędrek, który z całej trójki najlepiej poruszał się w internecie. Wpisał do przeglądarki hasło „Lipki”, a potem „hrabia, chemik”, „dworek w Lipkach”. Zaraz po wpisaniu haseł i wydaniu komendy „szukaj” na ekranie monitora pojawiło się wiele rozmaitych stron. Ich liczba wskazywała na to, że czeka ich co najmniej dwu-, trzygodzinne szperanie. Nie martwili się jednak – sam fakt, że internet odpowiedział na ich zapytanie, podziałał na nich elektryzująco.

● ● ●

Jakub oczyścił patelnię z resztek jedzenia i przetarł zmywakiem. Następnie położył ją na palniku i nalał odrobinę oleju. Na blacie aneksu kuchennego czekał na usmażenie kawałek mięsa. Już miał podpalić gaz pod kuchenką, gdy jego uwagę zwrócił hałas przed domem. Odłożył zapałki i podszedł do okna. W stronę jego domu szła wieloosobowa grupa, na czele której rozpoznał komendanta Prockiego i panią Piechaczową. Gdzieś w tłumie mignął mu również Wojtek Zydel.

– Jakub, wyjdź do nas! – zawołał komendant Procki, gdy grupa zatrzymała się przed jego domem.

Jakub wyszedł i spojrzał pytająco na komendanta.

– Jest sprawa. Otrzymałem informację, że... – Procki nie wiedział, jak to powiedzieć – ...że posiadasz coś, co należy do tej oto pani...

– Panie Procki, ty nie żartuj, ja nie żadna jakaś pani, tylko Piechaczowa. – Kobieta spojrzała groźnie na komendanta.

– O co chodzi? – zapytał cicho Jakub.

– O co?! – zawołała Piechaczowa. – O kury!

Procki chrząknął i odsunął zdenerwowaną kobietę.

– Pani pozwoli, że ja będę mówił, to ja prowadzę śledztwo – powiedział stanowczo. – Jakubie, tej oto znanej mieszkance Lipek – tu wskazał na dyszącą ze złości Piechaczową – zginęły kury. Otrzymaliśmy informację, że mogą się znajdować u ciebie...

– Nie mam żadnych kur – odezwał się Jakub, a w jego głosie nie było zdenerwowania.

– Ja wierzę... wierzę... A jednak, jeśli pozwolisz, rozejrzymy się...

– Proszę, rozglądajcie się.

Nie trzeba było tego powtarzać zgromadzonym dwa razy. Wszyscy rozeszli się po terenie w poszukiwaniu zaginionych ptaków. Komendant Procki i Piechaczowa weszli do domu.

Jakub usiadł na ławie przed domem i wyjął fajkę. Zapalił i czekał.

Piechaczowa od razu podeszła do kuchenki.

– Proszę bardzo... jest dowód – wskazała palcem na przygotowany do usmażenia kawałek mięsa.

– Jaki znowu dowód? – zaprotestował komendant.

– Co to jest za mięso? Drób! – zawołała triumfalnie. – Boże, moje biedne kurki...

– W ten sposób podejrzany może być każdy z nas, proszę pani, ja również, ponieważ z tego, co wiem, moja żona na obiad przygotowuje właśnie kurczaka...

Ich rozmowę przerwał harmider na zewnątrz. Kiedy wyszli, zobaczyli dwóch mężczyzn trzymających w dłoniach nieżywe kury. Ludzie otaczali Jakuba i pokrzykiwali. Wszyscy byli oburzeni.

– Znaleźliśmy je w komórce za domem – powiedział jeden z mężczyzn.

Piechaczowa wpadła w rozpacz, a jej szloch górował nad innymi odgłosami. Zza pleców mężczyzny wychylił się Wojtek Zydel.

– No! Mówiłem! On jest niebezpieczny!

Komendant spojrzał zdziwiony na Jakuba.

– Jakub? Ukradłeś kury?

Nie chciało mu się wierzyć w to, co widzi. Jakub nie powiedział ani jednego słowa na swoją obronę. Siedział spokojnie i palił fajkę.

– Muszę cię zatrzymać do wyjaśnienia. Pójdziesz na komisariat spokojnie czy muszę użyć siły?

Jakub wstał. Przez tłum przeszedł pomruk oburzenia.

• • •

Po prawie dwóch godzinach Ania, Piotrek i Jędrek opuścili kafejkę internetową bogatsi o wiedzę na temat Lipek i właściciela dworku. Ich szperanie zakończyło się następującymi

117

wnioskami: dom miał przez dłuższy czas dwóch właścicieli. Ten, o którego im chodziło, nazywał się Stanisław Komorowski i rzeczywiście był chemikiem. Spisali tytuły jego publikacji chemicznych i nazwy kilku uniwersytetów, na których wykładał. Niestety, nie udało im się poznać żadnych szczegółów z jego życia. Nie wiedzieli, czy miał rodzinę, co lubił i jakie miał zwyczaje, a przecież właśnie te informacje potrzebne były do tego, żeby wpaść na trop hasła. Znali już przynajmniej nazwisko hrabiego oraz status domu. Dworek znajdował się na liście zabytków, czyli nie można go było zburzyć ani nawet przebudować. Potrzebowali teraz kogoś, kto mógłby powiedzieć im o Komorowskim nieco więcej szczegółów, kogoś, kto znał go osobiście. Wracali do domu, rozmawiając z przejęciem o tym, co odkryli. I wtedy dostrzegli dziwny korowód.

Pochód otwierało dwóch mężczyzn niosących martwe kury, za nimi szedł komendant Procki, trzymając za ramię Jakuba, potem szlochająca Piechaczowa wsparta o kilka życzliwych osób, a na końcu ciekawscy. Dzieci stanęły oniemiałe, zaskoczone tym, co zobaczyły.

– Jakub złodziejem? – nie dowierzała Ania.

– Tak, to dziwne... – Jędrek pokręcił głową w osłupieniu.

Gdy grupa osób ich mijała, usłyszeli Wojtka Zydla, jak wołał, że sprawiedliwości stało się zadość i może raz na zawsze Lipki pozbędą się Jakuba.

– On u mnie był – powiedział cicho Jędrek.

– Kto? Jakub? – nie zrozumiała Ania.

– Nie, Zydel.

– Po co?

– Chciał, żebym przystąpił do jego grupy. Mówił też, że Jakuba trzeba stąd wykurzyć.

Dzieci spojrzały na siebie. Wyznanie Zydla w połączeniu z deklarowaną teraz potrzebą sprawiedliwości całej trójce wydało się bardzo podejrzane.

8

Co powie Jędrkowi tajemnicza księga? Nocna wyprawa trójki przyjaciół do kurnika Piechaczowej. Co znajdzie Jędrek?

Nikt w miasteczku nie mówił o niczym innym, tylko o aresztowaniu Jakuba. Wagę zdarzenia podnosiła dodatkowo barwna relacja pani Piechaczowej, o wiele barwniejsza niż rzeczywistość. Gdyby ktoś wyciągnął wnioski tylko na podstawie tego, co mówiła, stwierdziłby z pewnością, że Jakub to bezlitosny, okrutny morderca, a może nawet czarownik. Im dłużej kobieta mówiła, tym więcej dodawała wymyślonych szczegółów. Ostatnia wersja brzmiała mniej więcej tak, że Jakub ma u siebie kilkanaście przyrządów do tortur, żywi się tylko peklowanymi borsukami, pije żywicę ze spirytusem, zaś w wielkim garze gotuje nietoperze. Oczywiście, wszyscy wiedzieli o plotkarskim zacięciu Piechaczowej i skłonności do koloryzowania, a jednak nikt nie zaprotestował, nikt nie stanął w obronie Jakuba. Nie znali go, nie rozumieli. Mieszkał jak odludek, żył jak dziwak i z nikim się nie przyjaźnił. Kto wie, może rzeczywiście skrywał jakieś straszne tajemnice? A jeśli był niewinny, to dlaczego się nie bronił? Dlaczego nie zaprzeczał? Wszystko to działało na jego niekorzyść. Nawet Ania, Piotrek i Jędrek, którzy w duchu nie wierzyli w winę Jakuba, mieli chwilę zwątpienia.

– Pamiętacie ten kocioł z koszulą? – spytał Piotrek. – Nie wiadomo, co to było.

– Może jednak coś z tym Jakubem nie tak...? – zastanowił się Jędrek.

– Ja już wiem, co to było... – powiedziała z uśmiechem Ania.

– Spytałam mamy.

– Naszej mamy? – nie wierzył Piotrek.

– No, naszej.

– Mówiłaś jej, że byliśmy w domu Jakuba?

– Nie, tego nie powiedziałam, no coś ty. Zapytałam tylko ogólnie, po co ktoś miałby w garze trzymać koszulę.

– I co?

– I podobno tak się robi, kiedy się nie ma pralki – oświadczyła Ania zadowolona z odkrycia.

– No, ale w takim razie on prał coś w czarnej wodzie. – Jędrek nie był przekonany, czy mama Ani ma rację.

– Bo on nie prał, tylko farbował. Widocznie ma mało koszul. Na czarnym mniej widać zabrudzenia.

– No tak, to się trzyma kupy – stwierdził Jędrek.

– To kto ukradł kury? – spytał Piotrek.

– Moim zdaniem to sprawka Zydla – powiedziała Ania. – Nie wiem tylko, jak tego dowieść.

Piotrek i Jędrek również nie wiedzieli. Cała trójka umówiła się, że spotkają się w tej sprawie jeszcze raz i ustalą, co robić dalej.

Tymczasem Jędrek wrócił do domu i zrelacjonował mamie wydarzenia w miasteczku. Ewa siedziała w kuchni nad zeszytem z rozliczeniami wydatków. Minęło niewiele dni, a dom zdążył pochłonąć już sporo pieniędzy. Największym wydatkiem okazała się instalacja gazowa i elektryczna, potem doszły jeszcze drobne naprawy... A teraz czekało ją jeszcze malowanie. Nic dziwnego, że kiedy Jędrek wszedł do kuchni i opowiedział o tym, co się stało, chętnie oderwała się od zeszytu.

– Przecież to taki miły człowiek – zdziwiła się. – Po co miałby to zrobić?

– Też tak uważamy.

– „My", czyli kto?

– No, Ania, Piotrek i ja.

– Dobrze, że ty przynajmniej znalazłeś tu przyjaciół. Ja w perspektywie mam tylko kontakty z malarzami. I co z tym Jakubem?

– Teraz jest w areszcie u komendanta Prockiego.

– Och, mam nadzieję, że wszystko się wyjaśni. Zrobił na mnie takie miłe wrażenie. I wyrzeźbił ten model statku... Czy ktoś taki może być złym człowiekiem?

Ale oboje nie znali odpowiedzi na to pytanie.

– Mamo, czy na strychu jest już światło?

– Tak! – zawołała z radością Ewa. – Wreszcie! Ten pan Henio jest nieoceniony! Mogłam w świetle obejrzeć tę cudowną szafę.

– A wtedy, w dzień twojego... – Jędrek nie wiedział, jak nazwać przygodę mamy – ...dziwnego zagubienia?

– To co wtedy?

– Czy pamiętasz, co robiłaś przy tej szafie?

Mama zamyśliła się.

– Na pewno oglądałam.

– A poza tym?

– Jędrek, o co ci chodzi?

– O nic, jestem ciekaw – odparł nie całkiem zgodnie z prawdą.

– Najpierw ją zobaczyłam. Stanęłam wtedy jak wryta. Potem coś krzyknęłam. A potem... – Mama wyszukiwała z pamięci wszystkie czynności, które wtedy wykonywała. – No, a potem ją otworzyłam. I dalej nie pamiętam.

– Otworzyłaś?! – Jędrek aż krzyknął z wrażenia.

– Otworzyłam. A co w tym takiego dziwnego?

– Tak po prostu? Złapałaś za gałkę i drzwi się otworzyły?

Mama spojrzała podejrzliwie na syna.

– A co ty tak pytasz i pytasz? Szafa zwykle daje się otworzyć.

Jędrek nie wiedział, co jej odpowiedzieć.

– Nie każda. A dzisiaj też ją otwierałaś?

– Nie, dzisiaj nie. Co ty z tą szafą? Dobrze się czujesz? – Położyła dłoń na czole Jędrka. – Nie, temperatury nie masz.

– Mamo, czy pamiętasz, co krzyknęłaś, kiedy ją zobaczyłaś?

– Skończ już z tą szafą! – zdenerwowała się mama.

– Nie mogę ci teraz tego wyjaśnić, ale bardzo proszę, przypomnij sobie...

Ewa Rosochacka skupiła się, choć nie bardzo wiedziała, czemu ma to służyć.

– Zawołałam chyba, że szafa ma cudną intarsję z drzewa cedrowego.

– A co to jest intarsja?

– To taka dodatkowa ozdoba. Na drewno nakłada się inny gatunek drewna, często z artystycznymi ornamentami.

– Aha... i to właśnie powiedziałaś? – nie ustępował Jędrek.

– Nie, ja to wykrzyknęłam, detektywie.

– Świetnie. Dziękuję, bardzo mi pomogłaś.

– Ależ proszę. Dowiem się, do czego potrzebne są ci te informacje?

– Na pewno, w swoim czasie – odpowiedział tajemniczo.

Kiedy mama z posępną miną wróciła do rachunków, Jędrek popędził na strych. Czuł, że jest teraz bliżej rozwiązania tej tajemnicy niż kiedykolwiek wcześniej. Przez chwilę wahał się, czy powinien tam iść bez Ani i Piotrka, ale w końcu stwierdził, że wyprawa do miasteczka po przyjaciół zajmie mu zbyt wiele czasu, a miał ochotę od razu sprawdzić, czy zaklęcie podziała na szafę. Wszedł na strych i zapalił światło. Pan Henio uporał się wreszcie z instalacją i wszystkie zakamarki pomieszczenia zostały ogołocone z mroku. W jasnym świetle żarówki strych przedstawiał wrażenie absolutnie bezładnego składu najrozmaitszych przedmiotów. Światło odarło go trochę z magii, jego kąty nie wydawały się już groźne i niebezpieczne. Zakurzona podłoga przetarta była śladami stóp, a z lewej strony, niedaleko okna tkwiła wielka szafa. Mimo kurzu i zabrudzeń prezentowała się wyśmienicie. Nawet on musiał to przyznać, choć zwykle nie działał na niego urok antyków. Podszedł do szafy i pociągnął za gałkę. Jak przypuszczał, szafa nie dała się otworzyć.

– No, raz kozie śmierć. Zrobię to, trudno. – Wziął głęboki wdech i powiedział głośno: – Jaka cudna intarsja z drzewa cedrowego!

Miał nadzieję, że po tym zdaniu szafa zgrzytnie, jęknie i sama się otworzy. Ale nic takiego się nie stało. Przez chwilę stał przed nią nieruchomo, nasłuchując, a w końcu chwycił za gałkę i pociągnął. I stało się. Szafa otworzyła się. Bez specjalnych efektów w postaci zgrzytów, jęków czy choćby skrzypnięcia. Jędrek nie mógł uwierzyć w swoje szczęście. Udało się. Naprawdę się udało. „O, mamo, jesteś wielka!" – pomyślał. Zajrzał do wnętrza. W środku znajdowały się rulon oraz księga. Jędrek wiedział teraz, że musi być ostrożny. Po otwarciu szafy z mamą stało się coś niezwykłego. Trzeba uważać, aby nie pójść w jej ślady. Nie dotykał na razie przedmiotów ułożonych w szafie, tylko czekał. Czekał na to, aby szafa sama dała znak, co powinien dalej zrobić. Nie potrafił wyjaśnić, skąd ta pewność, wiedział tylko, że tak właśnie ma być. I nie mylił się. Po kilkunastu minutach – które dłużyły się Jędrkowi jak pociąg towarowy – stało się coś dziwnego. Księga się otworzyła. Tak po prostu. Nie powiał wiatr, nie wpadły żadne ruchliwe skrzaty, nie stało się nic równie niespotykanego. Księga otworzyła się tak nagle, jakby oswoiła się z jego obecnością i stwierdziła, że jest tym, kto zasługuje, by po nią sięgnąć. Jędrkowi serce zabiło szybciej z przejęcia. Wiedział już na pewno, że stanął oko w oko z magicznym światem, z wielką tajemnicą tego opuszczonego i zaniedbanego miejsca. Niepewnie sięgnął po księgę. Nadal obawiał się, że jakaś moc ukryta w tej szafie przeniesie go nagle na przystanek, do lasu albo gdziekolwiek indziej. Jednak nic nim nie targnęło, nie stracił jak mama przytomności. Księga pozwoliła się ująć w dłonie. Jędrek usiadł na podłodze i spojrzał na strony, na których się otworzyła. To, co zobaczył, wprawiło go w osłupienie. Spodziewał się jakichś staromodnych zdań, może nawet po łacinie, a tymczasem tekst był zupełnie zrozumiały. Ale nie to było najdziwniejsze. Zaskoczyło go przede wszystkim to, czego się z tego tekstu dowiedział...

Księga nie zdradzała na razie tajemnicy hrabiego, choć Jędrek był przekonany, że na innych jej stronach z pewnością ją wyjaśnia. Kilka pierwszych stron dotyczyło... ostatnich kilku godzin jego życia i wydarzeń w miasteczku. A przecież ten tekst powstał dawno temu – atrament był wyblakły i poszarzały. „To niemożliwe..." – pomyślał Jędrek. Wyglądało to tak, jakby ktoś przewidział to, co się zdarzy, i dawał teraz świadectwo prawdzie. Jędrek czuł, że nie bez powodu księga otworzyła się właśnie na tych dwóch stronach. Jakaś magiczna siła nakazywała zająć się sprawą Jakuba. Gdy już dowiedział się wszystkiego, księga nagle się zamknęła. Jędrek zrozumiał, że niczego więcej mu nie powie. Ujął ją z szacunkiem i schował do środka, a następnie zamknął szafę. Teraz musiał przejść do działania.

• • •

Jakub siedział w celi i ćmił swoją fajkę. Przez kraty aresztu miał widok na pokój komendanta Prockiego, który siedział na krześle przy biurku i spisywał raport. Zerkał co jakiś czas na Jakuba i kręcił głową z niedowierzaniem.

– Jak mogłeś to zrobić, nie pojmuję... Nie miałeś naprawdę niczego innego do roboty? Co ja mam napisać?

Jakub nie odpowiadał. Patrzył gdzieś przed siebie zatopiony w myślach.

– Byłbym wdzięczny, gdybyś mi pomógł, powiedz coś na swoje usprawiedliwienie – niemal błagał go komendant Procki,

który nigdy z Jakubem nie miał żadnych kłopotów i nawet lubił go na swój sposób.

Bez rezultatu. Jakub jakby zaciął się w sobie i nie zamierzał pomóc Prockiemu w znalezieniu dla siebie okoliczności łagodzących. Na domiar złego do komisariatu dzwonili mieszkańcy Lipek z pytaniem, czy na pewno Jakub jest zatrzymany i czy nie grozi im nic złego. Każdej z tych osób Procki mówił tę samą formułkę: „Dopóki śledztwo jest w toku, istnieje domniemanie niewinności. Jakub jest zatrzymany tymczasowo, do wyjaśnienia sprawy". Ale większość mieszkańców już wydała na Jakuba wyrok. Po barwnych opowieściach Piechaczowej byli niemal pewni, że to on dokonał kradzieży.

Sam Jakub wydawał się całą sprawą zupełnie niezainteresowany. Siedział spokojnie, palił fajkę i nucił coś pod nosem. Jako mieszkaniec lasu przypominał bardziej włóczęgę, wędrowca, który po wielekroć zszywa swoje stare spodnie, ceruje dziury w koszulach, a na buty wybiera tylko sandały z mocnej i grubej skóry. Miał ciepłe, łagodne oczy, które spoglądały na innych ludzi, także tych zapalczywych i wrogich mu, bez najmniejszego śladu agresji.

Nic nie zapowiadało, że sytuacja Jakuba w najbliższym czasie ulegnie zmianie. Na razie zapadła noc i przynajmniej telefon u komendanta Prockiego zamilkł w końcu. Mieszkańcy chwilowo przestali zajmować się sprawą kur Piechaczowej.

● ● ●

Jędrek poczekał, aż mama zaśnie. Nie trwało to długo – zmęczona sprawami domowymi Ewa wprost wpłynęła pod pościel i chwilę potem rozległo się jej lekkie pochrapywanie. Jędrek trącił ją lekko w ramię, upewniając się, czy mocno śpi. Nawet nie drgnęła. Wciągnął na siebie sweter, potem włożył spodnie i wyszedł z pokoju. Gdy wkładał buty, znowu wydało mu się, że jegomość z portretu spogląda na niego. Ale może się mylił, w przedpokoju było przecież bardzo ciemno. Gdyby kilka miesięcy temu ktoś powiedział mu, że wyjdzie z domu w nocy, bez niczyjej opieki, na pewno by go wyśmiał. Teraz jednak nie czuł lęku i dobrze wiedział, co ma robić.

Po kilkunastu minutach szedł piaszczystą drogą. Księżyc rozświetlał pola, jego poświata kładła się nad dachami miasteczka. Było magicznie. Nastrój tworzyły również świerszcze, nocne marki cykające w trawach sobie tylko znane opowieści. Droga do miasteczka minęła bez problemów. Na miejscu od razu skierował się pod dom Ani i Piotrka. Okno w ich pokoju na parterze było uchylone, światło w pokoju zgaszone. Odczekał chwilę, rozejrzał się i zawołał. Odpowiedziała mu cisza. Zawołał jeszcze raz, nieco głośniej, ale na tyle cicho, aby nie obudzić nikogo więcej, ponieważ wtedy cały plan spaliłby na panewce. Niestety, Ania i Piotrek go nie usłyszeli. Wtedy schylił się i podniósł z ziemi mały kamyk. Wycelował i rzucił nim w stronę okna. Kamyk odbił się o szybę. Przez jakiś czas nic się nie działo i Jędrek stracił już nadzieję, że uda mu się dobudzić przyjaciół. I wtedy w oknie pojawiła się zaspana Ania.

– Jędrek? – zdziwiła się, widząc go pod oknem. – Co ty tu robisz? Stało się coś?

– Chciałbym, żebyście mi pomogli...

– Teraz? Po nocy? – zapytała szeptem, a obok niej pojawił się Piotrek w piżamie.

– Co jest? – spytał zaspany.

– To nie Jakub ukradł kury. Wiem, kto to zrobił, i mogę to udowodnić.

– Możesz?

– Tak, ale musicie mi pomóc.

– Teraz?

– Tak, w dzień nie da się tego zrobić.

Rodzeństwo spojrzało po sobie. Nigdy nie wychodzili z domu w nocy. Zawahali się. Jeśli rodzice dowiedzą się o tym, będą mieli piekło na ziemi. Byłby szlaban na wychodzenie, na oglądanie telewizji, może nawet na jedzenie? A jednak pokusa wzięcia udziału w wielkiej akcji okazała się zbyt wielka. Piotrek spojrzał na siostrę. Wszystko zależało od tego, czy ona zgodzi się na tę wyprawę.

– Dobrze. Zaczekaj chwilę. Ubierzemy się – zdecydowała w końcu Ania.

Rodzeństwo wróciło do pokoju. Po chwili znowu pojawili się w oknie, tym razem ubrani i przygotowani na spotkanie z nieznanym. Okno było na dość wysokim parterze i zejście zajęło im dłuższą chwilę. Ale udało się.

– Skąd wiesz, że to nie Jakub? – spytał Piotrek, kiedy oboje stanęli obok kolegi.

– Chodźmy, opowiem wam po drodze.

– A dokąd idziemy? – spytała czujnie Ania.

– Do kurnika Piechaczowej.

Nic z tego nie rozumieli.

– Tam znajduje się dowód na to, że Jakub jest niewinny.

– Jak na to wpadłeś? – Ani nie dawało spokoju to, że Jędrek tak dobrze wie, co ma robić.

Chłopak szedł przez chwilę w milczeniu, nie wiedząc, czy zdradzić przyjaciołom tajemnicę księgi. W końcu zdecydował, że skoro i tak wszystko robią we trójkę, to powinni mieć tę samą wiedzę.

– Udało mi się otworzyć szafę.

Rodzeństwo aż przystanęło.

– Jak? – nie kryła zaskoczenia Ania.

– Trochę dzięki mamie. Przypomniała sobie, co krzyknęła, gdy ją zobaczyła. I zrobiłem to samo.

– A co to za hasło? – Piotrek aż przełknął ślinę z wrażenia.

Wyobrażał sobie najbardziej niezwykłe w stylu: lepsus meksus pleksus albo pileum melum plum lub choćby kerul murel gerd.

– „O, jaka cudna intarsja z drzewa cedrowego" – powiedział spokojnie Jędrek.

Piotrek mocno się rozczarował. Zdanie brzmiało tak zwyczajnie, no może oprócz tej tajemniczej intarsji.

– A co to intarsja?

– Jakieś zdobienie... też nie wiedziałem.

– I co było w środku? – Piotrek żałował, że nie było go wtedy z Jędrkiem.

– Rulon i... księga. Nie od razu ją wziąłem. Właściwie to ona sama kazała się wziąć.

– Jak to? – nie zrozumiała Ania.

I Jędrek opowiedział minuta po minucie, jak wyglądał pierwszy stopień wtajemniczenia w magiczny świat strychu i szafy. Pominął tylko to, co przeczytał. Uważał, że jeśli informacje księgi nie potwierdzą się, będzie znaczyło, że źle coś zrozumiał albo wszystko sobie wymyślił. Poprosił więc Anię i Piotrka, żeby nie pytali o nic więcej, dopóki nie dotrą do kurnika.

– Jak chcesz tam wejść? Piechaczowa zapowiedziała, że będzie spała jak zając, nasłuchując. Boi się, że wykradną jej też kwiaty z ogrodu.

– Dlatego jesteście mi potrzebni. Musicie stać na czujkach.

– Znaczy na straży?

– Coś w tym rodzaju.

Szli uliczką tuż przy ścianach domów, rozglądając się, czy nikogo nie ma w pobliżu. Poza bezpańskim psem, który warknął na ich widok, nikogo na szczęście nie było. Skręcili w małą uliczkę, aby ominąć restaurację, przy której stali zawsze podochoceni maruderzy. Jeszcze pięćdziesiąt metrów i znajdą się przed domem Piechaczowej. Gdy zbliżali się do budynku poczty, nad którą mieszkała hałaśliwa gospodyni, Ania nagle złapała Jędrka za rękę.

– Tam ktoś stoi – powiedziała szeptem.

Chłopcy spojrzeli we wskazanym kierunku. Rzeczywiście, ktoś stał przed domem Piechaczowej, ale było zbyt ciemno, żeby mogli z tej odległości stwierdzić, kto to taki.

– Chodźmy pod sklep Krótkiego, tam będziemy mieli lepszy widok.

Trzy pochylone sylwetki cofnęły się i przebiegły na drugą stronę ulicy, gdzie natychmiast kucnęły za stojącym pod sklepem samochodem dostawczym. Jędrek wychylił się, żeby lepiej przyjrzeć się osobnikowi przed domem Piechaczowej. Poznał go od razu. To był Tomek, prawa ręka Zydla. Stał oparty o ścianę budynku i palił papierosa. Wyglądał jak ktoś, kto po prostu nie ma nic ciekawszego do roboty, tylko stać i palić. Ale o tej porze nic nie mogło być zwyczajne.

– To chłopak z bandy Zydla – szepnął do przyjaciół.

– Co on tu robi? – zdziwiła się Ania.

– Chyba się domyślam – powiedział Jędrek i serce zabiło mu mocniej. A jeśli cały plan weźmie w łeb, jeśli zawiedzie Jakuba, księgę i samego siebie? – Aniu, czy można podejść do kurnika od innej strony?

– Można, ale trzeba przełazić przez płot. To trudniejsza droga.

– Nieważne. Podejdźmy tam i zobaczmy, co się dzieje.

Ania dała znak Piotrkowi i Jędrkowi, żeby szli za nią. Ukryci pod osłoną nocy znowu biegli pochyleni wzdłuż budynków, tym razem klucząc małymi uliczkami. Dziewczynka prowadziła ich pewnie, jakby przemierzała tę trasę każdej nocy. Wreszcie znaleźli się na tyłach poczty i stanęli przy wysokim ogrodzeniu.

– Po drugiej stronie jest już ogród Piechaczowej.

– A czy można tam wejść tak, żeby nikt nas nie widział?

– Tak – odparła Ania po chwili zastanowienia. – Tam na końcu, tuż przy ogrodzeniu, rośnie stara wiśnia. Jeśli przeskoczymy właśnie tam, nikt nas nie zauważy.

– To chodźmy – zdecydował Jędrek.

Wchodzenie na wysokie ogrodzenie okazało się trudniejsze, niż myśleli. Tym bardziej że musieli zachowywać się cicho, jak przystało na uczestników tajnej akcji. Najpierw na płot wszedł Piotrek, usiadł na nim okrakiem i wyciągnął rękę po Anię. Z trudem się podciągnęła, ale zaraz potem znowu osunęła się na ziemię, łamiąc jakąś suchą gałązkę. Zamarli. Wokół panowała jednak cisza.

– Jejku, trzymaj się mnie – szepnął Piotrek.

Ania spróbowała jeszcze raz i tym razem się udało – usiadła na płocie obok Piotrka, który wyciągnął dłoń po Jędrka, ale ten pokręcił głową.

– Ja sam... – Podskoczył, złapał się górnej części płotu i zręcznie podciągnął.

Po chwili byli już w ogrodzie.

– Teraz musimy być cicho – przejął dowodzenie Jędrek.

Kucnęli przy starej wiśni. W tym miejscu nikt nie mógł ich widzieć. Byli niewidoczni i dla tego, kto byłby w ogrodzie, i tego, kto patrzyłby na nich z okna kamienicy. Gdy ich oczy przyzwyczaiły się już do ciemności, bez trudu mogli rozpoznać teren. Z lewej strony był kurnik, potem klomby z kwiatami, a nieco dalej mały ogródek warzywny.

– Muszę wejść do tego kurnika – powiedział Jędrek.

– Po co?

– Potem wszystko wam wyjaśnię. Zostańcie tutaj. W razie czego dajcie znak.

– Taki może być? – Piotrek ułożył dłonie w tubkę i zahuczał cicho jak sowa.

– Tak, tylko głośniejszy – uśmiechnął się Jędrek.

Już miał wyjść zza wiśni i pobiec do kurnika, gdy nagle usłyszeli jakieś głosy. Dochodziły właśnie z kurnika. Były ściszone, ale jednak na tyle głośne, że rozumieli każde słowo. „Jesteś pewny, że tutaj go zostawiłeś?” – zapytał ktoś zniecierpliwionym tonem. „Tak, do cholery, nie mogłem nigdzie indziej" – odpowiedział ktoś inny i w jego głosie dało się wyczuć zdenerwowanie. Potem nastąpiło jakieś szuranie, coś obsunęło się z trzaskiem. „Chodźmy stąd, bo zaraz nas nakryją" – powiedział pierwszy głos. „Muszę go znaleźć" – upierał się ten drugi. „Ja idę" – powiedział stanowczo pierwszy głos. „Dobra, przyjdę tutaj jeszcze raz, a niech to...". – Właściciel zguby zaklął pod nosem, zły, że akcja się nie powiodła. Drzwi kurnika skrzypnęły i uchyliły się. W świetle księżyca dzieci zobaczyły wykrzywioną ze złości twarz Wojtka Zydla. Jego kompan wyszedł zaraz po nim, rozejrzał się i dał znak, że droga wolna. Piotrek z Anią siedzieli w napięciu, prawie nie oddychając, ale Jędrek, mimo emocji, lekko się uśmiechnął. Zydel z kolegą cicho przeszli w stronę wyjścia. Kiedy ucichły już odgłosy ich kroków, trójka przyjaciół odczekała jeszcze dla pewności kilka minut.

– Zydel, a więc to on zabrał te kury – szepnęła Ania.

– On – potwierdził Jędrek.

– Czego szukał?

– Czegoś, czego ja teraz poszukam – odpowiedział wymijająco Jędrek.

Przyszła pora na główną część akcji. Jędrek wstał i schylony niczym żołnierz podbiegł do kurnika. Stanął przy samych drzwiach i spojrzał w okna kamienic. Niektóre były uchylone, noc była bowiem ciepła, prawie parna, ale w żadnym z nich nie paliło się światło. Mieszkańcy spali spokojnie, nieświadomi tego, że na dole, w ogrodzie, rozgrywa się decydujący moment ekspedycji. Jędrek zaczerpnął powietrza, otworzył drzwi i wszedł do środka.

Dopiero na miejscu wyjął z kieszeni latarkę i oświetlił pomieszczenie. Kurnik był właściwie zwykłą komórką zaadaptowaną na potrzeby hodowli kur. Do ściany przytwierdzone były żerdki, prawdopodobnie prowizoryczne grzędy, a na podłodze leżało siano i mnóstwo piór. Wszędzie unosił się pył sienny i Jędrkowi zakręciło się w nosie. Z trudem powstrzymał kichnięcie. Niepokoił się trochę, czy światło latarki nie przedostaje się poza komórkę, ale Ania i Piotrek nie alarmowali, więc na razie wszystko szło dobrze. Z lewej strony znajdowały się mała drabinka, jakiś kosz wiklinowy i kupka siana. Jędrek rozglądał się po komórce, ale nigdzie nie było tego, czego szukał. Narastało w nim rozczarowanie. Spodziewał się, że zaraz po wejściu odniesie sukces i będą mogli wrócić do domów. Odsunął kosz, przeczesał siano. Bez efektu. „On tu musi być" – pomyślał. Na kolanach zaczął sprawdzać każdy centymetr komórki. Robił to dokładnie i metodycznie. Krzywił się, gdy natrafiał na ptasie odchody, i ledwo wytrzymywał od przykrego zapachu, który unosił się w całym kurniku. Nie znalazł jednak tego, czego szukał, za to we włosach miał pełno ptasich piór i gdyby nie okoliczności, mógłby z powodzeniem rozpocząć zabawę w Indian.

Sprawdził wszystko jeszcze raz. Grzebał w sianie, zaglądał do kosza i na grzędy. Wreszcie zrezygnował. Usiadł na ziemi i uderzył w nią pięścią ze złością. Latarka wypadła mu z rąk i poturlała się pod próg drzwi. Gdy wstał, by ją podnieść – oniemiał, nie wierząc w swoje szczęście. Przedmiot leżał wciśnięty w małą szczelinę między drzwiami a progiem. Jędrek miał ochotę krzyknąć z radości, ale opamiętał się w ostatniej chwili. Szczęśliwy wyciągnął przedmiot ze szczeliny i schował do kieszeni. Zgasił latarkę i uchylił ostrożnie drzwi. Wszędzie panowała cisza. Szybko wrócił do Ani i Piotrka, którzy nie mogli się go doczekać.

– O rany, myśleliśmy, że coś ci się stało! Czemu tak długo? – zapytała Ania, która przez cały czas denerwowała się, że ktoś ich nakryje albo wróci Wojtek Zydel.

– Masz to? – spytał Piotrek.

– Mam – oświadczył z dumą Jędrek i zacisnął w dłoni odnaleziony przedmiot.

• • •

Już świtało, kiedy Jędrek wrócił z nocnej akcji. Mama jeszcze spała nieświadoma, że jej syn spędził całą noc poza domem. Wiedział, że kiedyś będzie musiał wszystko jej opowiedzieć, ale na razie nie chciał o tym myśleć. Był w doskonałym nastroju. Co jakiś czas spoglądał na przedmiot znaleziony w kurniku, aż w końcu włożył go pod poduszkę i usnął.

Powrót do domu Ani i Piotrka był bardziej skomplikowany. Musieli uważać, aby nie zwrócić niczyjej uwagi. Wstawał nowy dzień, było jasno i każdy przechodzień mógł bez trudu dostrzec dwie małe postaci wdrapujące się przez okno do domu. Na szczęście w pobliżu nie było nikogo i uczestnicy nocnej wyprawy szczęśliwie znaleźli się w swoim pokoju.

9

Proces Jakuba w Lipkach. Kto w ostatniej chwili udzieli mu pomocy i uchroni przed wydaniem niekorzystnego dla niego wyroku?

Od samego rana komendant Procki odbierał telefony od Piechaczowej, która dopytywała się o Jakuba, ponaglała i narzekała. Chciała wiedzieć, kiedy skończy się śledztwo, kiedy oficjalnie oskarżą Jakuba o przestępstwo (znalezione w jego domu kury były według niej wystarczającym dowodem winy) – krótko mówiąc – wywierała ogromną presję, a wszystko w imię sprawiedliwości. Policjant był wyczerpany. Na dzwonek telefonu reagował nerwową mimiką twarzy, huśtaniem nogą i machinalnym przesypywaniem cukru w cukiernicy. Natomiast siedzący kilka metrów dalej w celi Jakub zachowywał zupełny spokój. Co prawda nie przyjął rano jedzenia i nadal nie powiedział słowa, ale nie protestował i nie awanturował się. Siedział na ławce i czyścił fajkę. Jedyną osobą, która go odwiedziła, był pan Werner. Wszedł na posterunek lekko zasapany, usiadł od razu na krześle i stuknął laską o biurko komendanta Prockiego.

– Co tu się dzieje, Tadeuszu? – spytał, marszcząc brwi.

– Piechaczowa, kury, Jakub – tylko tyle był w stanie powiedzieć Procki, który miał już dość tej sprawy i nawet w ramach protestu odmówił zjedzenia jajek na śniadanie.

– To jakaś absurdalna sprawa.

– Owszem – jęknął komendant i machnął zrezygnowany ręką.

– Proszę cię, żebyś to wyjaśnił. I chcę, żebyś znał moje zdanie: nie wierzę w winę Jakuba. – To powiedziawszy, Werner wstał z wysiłkiem, jeszcze raz zastukał laską, tym razem w podłogę, i skierował się w stronę aresztu. Gdy stanął przed celą, serce ścisnęło mu się z żalu. Jakub był blady, zaniedbany, w dłoniach obracał starą fajkę.

– Jakubie, powiedz coś na swoją obronę, cokolwiek. Nie można tak. Ja żyję od lat samotnie i wiem, że jeśli czegoś nie powiem, to inni się nie domyślą. Tak już wygląda ten świat – przekonywał.

Jakub jednak nic nie powiedział. Nie spojrzał nawet na Wernera.

– Jak chcesz. Bądź jednak świadom, że to nie o te kury chodzi. To nie jest wielkie przestępstwo, zapłacisz grzywnę albo odpracujesz, wszystko jedno. Najgorsze jest to, że ludzie w miasteczku nie będą ci już pomagali, a gdy coś się wydarzy, będziesz pierwszym podejrzanym. Nie dadzą ci żyć. Przemyśl to.

Jakub nadal milczał.

– Potrzebujesz czegoś? – spytał Werner.

I wtedy Jakub się odezwał. Jego głos był stłumiony, trochę zachrypnięty.

– Tak... – zawahał się chwilę – ...tytoniu do fajki.

– Dobrze, poproszę, żeby ci dostarczyli.

– Dziękuję.

Werner westchnął i skierował się do wyjścia.

– Pamiętaj, z ludźmi trudno, ale bez nich jeszcze gorzej – powiedział, wychodząc.

● ● ●

Ewa Rosochacka wstała w dobrym humorze, gotowa spotkać się z nowym dniem w starym domu, z którym coraz bardziej się oswajała. Dom się cywilizował. Miał gaz i elektryczność, a większość pomieszczeń nadawała się już do użytku. Oczywiście, czekało ich jeszcze wielkie malowanie, ale to był już ostatni akord i wyraźna perspektywa końca, a to dodawało sił.

Jedyną rzeczą, która nie dawała jej spokoju, była sprawa jej zamroczenia i niewyjaśnionego znalezienia się na przystanku. Nie mówiła o tym z Jędrkiem, ale to zdarzenie nią wstrząsnęło. Zadzwoniła nawet w tej sprawie do męża, który kierował wyprawą naukową w Peru. Opowiedziała mu o tym, co się stało, ale on skwitował to jednym słowem: „przemęczenie". Zaprotestowała. Nawet kiedy padała już z nóg, nigdy nie traciła świadomości. Mąż wysłuchał jej spokojnie i dopowiedział: „Jeśli nie przemęczenie, to magia albo jakieś grzybki halucynogenne". Wiedział, co mówi, ponieważ siedząc w Peru od wielu miesięcy, wciąż słyszał o różnych zdarzeniach niejasnej natury. Znane mu były przypadki, kiedy po wypiciu wywaru Ayahuasca, zwanego również yage, a używanego przez Indian z plemienia Konibo, ludzie tracili orientację i wpadali w odmienne stany świadomości. Zachowywali się dziwacznie i nieprzewidywalnie. Chciał podawać przykłady, ale Ewa go powstrzymała. Jakie znowu grzybki? Ona i halucynogeny? Nigdy. „Nie ma takiej możliwości" – stwierdziła oburzona. Rosochacki się roześmiał. On również nie podejrzewał swojej żony o takie eksperymenty. „W takim razie magia" – dodał na koniec i wtedy połączenie telefoniczne zostało przerwane. Ewa już nie oddzwoniła, ponieważ żadne z tych wyjaśnień jej nie przekonało.

Weszła do pokoju, żeby sprawdzić, czy Jędrek już wstał. Okazało się jednak, że syn śpi przykryty po uszy kołdrą. Postanowiła zbudzić go i starym sposobem chwyciła za brzeg kołdry. Gdy ściągnęła ją z syna, zamarła. Jędrek oblepiony był ptasimi piórami. Pachniał, wstyd powiedzieć, też niepięknie, a wyglądał tak, jakby stoczył walkę z wielkim strusiem.

– Jędrek...? – Zaskoczona trąciła syna w ramię. – Jak ty wyglądasz?

Zaspany Jędrek obrócił się na drugi bok. Mama szarpnęła go mocniej i w końcu otworzył oczy.

– Co? Co się dzieje? – spytał nieprzytomny.

– No właśnie chciałabym wiedzieć. Spójrz na siebie. Możesz mi to wytłumaczyć?

Jędrek dopiero teraz zorientował się, że kiedy dotarł do domu po nocnej wyprawie, padł po prostu na łóżko i usnął. Jak miał wyjaśnić ślady, które nosił na sobie? Kiedyś to zrobi, ale jeszcze nie teraz.

– Nie wiem, co to jest. Poszedłem spać i tyle – powiedział, starając się, aby ton jego głosu brzmiał jak najbardziej wiarygodnie.

– Nie wiesz? – spytała zaskoczona mama. – To skąd te pióra? Jędrek wzruszył ramionami i zrobił niewinną minę.

Mamę ogarnął niepokój. Najpierw przystanek, teraz pióra. W tym domu działo się coś dziwnego.

– Później o tym porozmawiamy. Umyj się i ubierz. W kuchni czeka śniadanie.

Kiedy wyszła z pokoju, Jędrek od razu sięgnął pod poduszkę. Trofeum nocnej wyprawy, efekt męczących poszukiwań, leżało spokojnie na prześcieradle. Jędrek odetchnął z ulgą.

Godzinę później najedzony, umyty i ubrany siedział przed domem przy stoliku ogrodowym i analizował wydarzenia ostatnich dni, spisując na kartce wszystko to, co wydało mu się ważne. Jego zapiski wyglądały tak:

1. Kartka z dziwnym napisem znaleziona na komodzie (sprawa niewyjaśniona).

2. Szafa, otwiera się na hasło. Magiczna księga może wyjaśnić sprawę hrabiego.

3. Tajemnicza teleportacja mamy na przystanek (sprawa niewyjaśniona).

4. Dowiedzieć się, dlaczego Jakub żyje jak odludek (sprawa niewyjaśniona).

5. Udowodnić winę Wojtkowi Zydlowi (dowód znaleziony).

Jędrek był niemal pewny, że pierwsze cztery punkty mają ze sobą związek, nie wiedział tylko jeszcze jaki. Postanowił sprawdzić od razu, czy księga powie mu coś na temat hrabiego. Schował notatki do kieszeni i udał się na strych. Najpierw sprawdził, czy szafa jest zamknięta. A ponieważ była, odetchnął i powiedział głośno:

– Jaka cudna intarsja z drzewa cedrowego.

Potem ponownie chwycił za gałkę na drzwiach szafy i pociągnął. Drzwi otworzyły się. Jędrek patrzył teraz na księgę i zastanawiał się, o co ją spytać. Szukał słów, aby jego pytanie było jasne i zrozumiałe.

– Kim był hrabia i dlaczego stąd wyjechał? Co tu się stało? – powiedział w końcu.

Ale księga nie zareagowała. Nie otworzyła się na żadnej stronie, nie drgnęła nawet. Jędrek pomyślał, że może źle sformułował pytanie. Zapytał jeszcze raz o to samo, ale innymi słowami. Znowu nic. Powtórzył to kilka razy. Księga była niewzruszona, o ile można tak powiedzieć o czymś, co składa się głównie z papieru. Jędrek czuł w duchu, że tak właśnie będzie, że nie otrzyma żadnej informacji ani wskazówki. To byłoby za proste. Wiedział, że nie skończył jeszcze zadania, które wyznaczyła mu tajemna siła drzemiąca w tej szafie, i dopóki tego nie zrobi, nie może liczyć na dalsze informacje, ale przynajmniej spróbował. Zamknął szafę i opuścił strych.

Na schodach nagle coś przyszło mu do głowy. A jeśli mama została przeniesiona na przystanek, bo wzięła księgę i chciała ją otworzyć? Czyżby księga dawała im znak, że nie powinni tu mieszkać? Z drugiej strony, w sprawie Jakuba okazała się pomocna i... chętna do współpracy. Wszystko to nie dawało mu spokoju, ale miał nadzieję, że dowie się czegoś więcej, gdy wyjaśni sprawę Jakuba. Nie znał go i bał się go trochę, zwłaszcza po wizycie w jego domu, ale nie czuł do niego niechęci. Wręcz przeciwnie. Ze względu na sposób, w jaki wyniósł ze strychu gniazdo puchacza, Jakub wzbudził w nim podziw i szacunek. Przypominał jednego z bohaterów literackich jego taty. Zazwyczaj byli oni odważni, dumni i żyli w zgodzie ze sobą. Tata często o nich opowiadał, a kilku z nich szczególnie zapadło Jędrkowi w pamięć. Najbardziej lubił władców prerii Winnetou i Old Sutherlanda, dokonującego zemsty po latach hrabiego Monte Christo oraz dzielnego Indianina Szarego Boba, właściciela wilka Białego Kła. Jędrek obiecał sobie, że przeczyta kiedyś o ich przygodach, a tymczasem wydawało mu się, że jeden z takich wyjątkowych ludzi żyje obok niego i jest nim właśnie Jakub.

• • •

Nie wszyscy podzielali jednak przekonanie Jędrka. W miasteczku panowały nastroje zdecydowanie wrogie Jakubowi. Wielu mieszkańców nie miałoby nic przeciwko temu, aby samotnik wyniósł się z ich okolicy. Nie miało znaczenia, że mieszkał tu od lat i nigdy nic złego nie zrobił. Liczyło się tylko to, że był inny. Z tego samego powodu nie lubiano starego domu: nie przypominał żadnego ze zgrabnych domków z czerwonymi dachówkami i ładnymi ogródkami.

Okazało się, że sprawa Jakuba podzieliła miasteczko na dwie frakcje. Do jednej z nich należały Piechaczowa, dwie sprzedawczynie z mięsnego, Zydel i jego rodzice oraz spora grupa tych, którzy ulegli perswazji niechętnych Jakubowi; drugiej przewodzili: dziadek Antoni, właściciel sklepu pan Krótki, oczywiście pan Werner, a wspierał ich pan Henio złota rączka. Gdy jedni zajadle atakowali samotnika, drudzy równie energicznie brali go w obronę. Komendant Procki z oczywistych powodów zachowywał neutralność, choć po cichu sprzyjał frakcji obronnej, o wiele mniej liczebnej. Pan Werner miał rację. Cała rzecz szła teraz o przyszłość Jakuba w miasteczku. Kury, choć opłakiwane przez Piechaczową, nie były dobrem narodowym, bezcennymi obrazami czy najrzadszymi i ostatnimi ptakami na ziemi, jak niektóre znaczki pocztowe, i kara za ich kradzież nie mogła być wysoka. O wiele większą karą byłoby zupełne odsunięcie się ludzi od Jakuba. Kto wie, może musiałby nawet opuścić Lipki?

Na razie sytuacja samotnika wyglądała tak: komendant Procki przedstawił mu zarzut kradzieży oraz pozbawienia życia pięciu kur należących do pani Piechaczowej i to oznaczało, że Jakub będzie miał sprawę sądową w sądzie grodzkim. I tak by się zapewne stało, gdyby nie pan Werner. Ten ostatni wiedział, że przydzielony Jakubowi obrońca w żaden sposób nie dotrze do niego, a nie mając żadnych argumentów przemawiających na jego korzyść, sprawę przegra. Udał się więc niezwłocznie do wójta i przedstawił następujący pomysł: zamiast kierować sprawę Jakuba do sądu, powinno się w Lipkach zrobić w obecności podejrzanego spotkanie, na którym wszystkie strony mogłyby wyrazić swoje stanowisko. Wójt się zafrasował. Propozycja pana Wernera odbiegała od ogólnie przyjętych procedur postępowania, ale miała jedną niewątpliwą zaletę – na spotkaniu zgromadziłoby się wielu mieszkańców, dzięki czemu oprócz sprawy Jakuba mógłby załatwić mnóstwo innych. Wójt w końcu się więc zgodził. Ustalono, że spotkanie odbędzie się za kilka dni, a jeśli nie przyniesie rozwiązania, sprawa Jakuba trafi do sądu grodzkiego.

Pan Werner przysiadł na ławce i przetarł chusteczką pot z czoła. Sierpniowy upał doskwierał mu bardziej niż kiedyś, ale nie było w tym nic dziwnego, kiedyś bowiem nosił na sobie o wiele, wiele mniej kilogramów. Idący do Jędrka Ania i Piotrek dostrzegli go i zatrzymali się o kilka kroków od ławki. Zawsze wydawał im się trochę groźny i komiczny zarazem, teraz patrzyli na niego zupełnie inaczej. Oni także wiedzieli, jak bardzo stara się pomóc Jakubowi. Ania trąciła Piotrka w ramię i dała znak, żeby usiedli na ławce obok niego. Werner sapnął i powiedział ni to do nich, ni to do siebie:

– Ależ gorąco...

– No, kurczę, gorąco – potwierdził Piotrek, który nie miał pojęcia, jak trzeba rozmawiać z takim wielkim panem Wernerem.

– Jak pan myśli, czy Jakub pójdzie do więzienia? – wystrzeliła nagle Ania.

Pan Werner spojrzał na nią i uśmiechnął się.

– Miejmy nadzieję, że nie. A dlaczego pytasz?

– Nie chciałabym, żeby poszedł.

– Ano, ja też nie – potwierdził Werner. – No, ale zobaczymy, jak będzie.

– Jakub nie jest taki straszny – powiedziała Ania.

– Skąd wiesz?

– Byliśmy u niego. – Piotrek aż się zdziwił, że mówi to akurat panu Wernerowi. – On nie ma w domu tego wszystkiego, o czym mówiła pani Piechaczowa. Żadnych tortur ani nic.

– Pewnie, że nie ma – westchnął pan Werner i znowu się uśmiechnął.

– To dlaczego ludzie wymyślają wszystkie te rzeczy?

– Dlatego, że mało o nim wiedzą. Czego nie wiedzą, to dopowiedzą.

– A pan go dobrze zna?

Pan Werner zamyślił się. Ponownie przetarł chustką kark i czoło.

– Tak, trochę go znam – zawahał się. – On już swoje odpokutował.

Słowa Wernera podziałały na dzieci piorunująco. Odpokutował? Rodzeństwo spojrzało na siebie. Co to miało znaczyć? Poczuli, jak ogarnia ich podniecenie; byli niemal o krok od poznania tajemnicy Jakuba.

– A co on miał odpokutować? – zapytała cicho Ania.

– Coś, co zrobił wiele lat temu. Coś złego. Ale nic więcej nie mogę wam powiedzieć. Zapytajcie go, może wam powie.

143

– Czy to było morderstwo? – Piotrek aż przeraził się swoich słów.

Pan Werner zaśmiał się. A kiedy to zrobił, dzieci zobaczyły w nim wielkie słońce, jasność, która trafia wprost do serca. Nagle zorientowały się, że nie sposób nie lubić pana Wernera, i zdziwiły, dlaczego wcześniej tego nie dostrzegły.

– Skąd, nic z tych rzeczy... Bądźcie spokojne – powiedział łagodnie. – To coś, co zrobił dawno temu. To taki błąd... – Werner zamyślił się – błąd młodości.

Ania i Piotrek nie mieli pojęcia, co kryje się pod stwierdzeniem „błąd młodości", ale nie chcieli już dłużej wypytywać pana Wernera.

– Proszę pana... – zaczęła cicho Ania.

– Słucham cię, pannico?

– To fajnie, że pan walczy o Jakuba. I w ogóle, to my przepraszamy – powiedziała szybko. Następnie wstała i dygnęła przed panem Wernerem najładniej, jak umiała.

• • •

Dzień sądu nad Jakubem przypadł na moment, w którym w domu Ewy Rosochackiej zjawiła się ekipa malarska. Od samego rana zapowiadała synowi, że czeka ich wiele pracy i żeby nie przyszło mu do głowy latać gdzieś po polach i lasach. „Jesteś potrzebny na miejscu, bez ciebie na pewno nie poradzę sobie z tym chaosem" – powiedziała stanowczo Jędrkowi i chłopak wiedział, że nie żartuje. Słowo „chaos" nie było nadużyciem, ponieważ malowanie łączyło się z zabezpieczaniem mebli, rzeczy osobistych, czyszczeniem domu z kurzu, pajęczyn i drobnego pyłu, który wciąż opadał na podłogę nie wiadomo skąd. Jeśli wziąć pod uwagę, że w tym wszystkim czterech malarzy pokojowych rozstawiało swój sprzęt, dom przypominał poligon w czasie działań ćwiczebnych. Jędrek wiedział, że w miasteczku tego dnia odbędzie się spotkanie w sprawie Jakuba i że powinien na nim być, ale jak to wyjaśnić mamie? Spróbował sprawdzić teren, wysondować, na ile mama może pójść na ustępstwa. Kiedy wysuwali razem komodę z przedpokoju do ogrodu, Jędrek uśmiechnął się do mamy.

– Później wyskoczę na chwilę...

– Mowy nie ma, możesz o tym zapomnieć.

– A jeśli malarze będą chcieli pić?

– Przewidziałam to, mam mnóstwo wody mineralnej i soki – odparła i mocniej pociągnęła komodę.

– A jeśli będą chcieli jeść?

– Mam przygotowane kanapki.

– A jeśli wcześniej skończą?

– Nie skończą. Jędrek, nie kombinuj. Nigdzie cię dzisiaj nie puszczę. – I aby wzmocnić siłę słów, mama zmarszczyła brwi i stuknęła dłonią o blat komody.

Nie wyglądało to za dobrze. Mama była zdeterminowana. Gdyby wiedziała jednak, jak bardzo zdeterminowany jest Jędrek, z pewnością przykułaby go do krzesła. Na razie o jakimkolwiek wyjściu nie było mowy – mama zamknęła go w pokoju na piętrze i zagoniła do mycia podłogi.

● ● ●

Tymczasem w małej sali gimnastycznej lipskiej szkoły gromadzili się mieszkańcy, aby debatować nad sprawą kur Piechaczowej i oskarżonym Jakubem. Sama poszkodowana poprzedniego dnia odbyła ponaddwugodzinną sesję u fryzjera, który uformował na jej głowie przedziwną konstrukcję. Jej włosy przypominały ogromną watę cukrową, tyle że nie pachniały słodko, a w wyniku zastosowania sporej ilości lakieru tworzyły budowlę prawie niezniszczalną. Oprócz nowej fryzury Piechaczowa miała również nowy makijaż, nową torebkę i apaszkę. Weszła na salę w towarzystwie kilku pań, które podążały za nią jak za swoim guru, a zmierzając do swojego miejsca, rozglądała się, rozdając uśmiechy niczym gwiazda filmowa, jakby nie chodziło o kilka kur, lecz o skradziony z jej rezydencji naszyjnik z brylantami.

Kiedy w drzwiach pojawił się Jakub w towarzystwie Prockiego, przez salę przeszedł groźny pomruk, a z kilku stron padły nieprzyjazne okrzyki. Najwyraźniej zwolennicy zdecydowanego rozprawienia się z Jakubem stanowili większość wśród zgromadzonych. Po lewej stronie sali usiedli zaś wszyscy życzliwi Jakubowi. Werner zajął miejsce obok dziadka Antoniego, obok nich pan Henio i Ania z Piotrkiem i rodzicami. Były to naprawdę nieliczne osoby, które sprzyjały tego dnia oskarżonemu. Spotkanie poprowadzić miał wójt, wspierany przez komendanta Prockiego, którego zadaniem było dokładnie opisać zdarzenie i zdać relację z dochodzenia. Wójt wstał, chrząknął, rozejrzał się po sali, w której natychmiast ucichły pomruki i szepty, ale zamiast słowa wprowadzenia wskazał tylko na komendanta Prockiego:

– Dzień dobry. Teraz komendant Procki opowie o sprawie.

– I usiadł, a komendant wstał.

Komendant Procki nigdy nie stał przed takim audytorium, jego raporty i protokoły czytali zwierzchnicy albo odpowiednie urzędy, więc nigdy nie prezentował ich tak dużej liczbie osób. Był onieśmielony i skrępowany, na czole zalśniły mu kropelki potu.

– Jak wiadomo, przedmiotem sprawy są kury – zaczął niepewnie, a ktoś na sali zachichotał. – Chodzi o pięć kur naszej mieszkanki, pani Janiny Piechaczowej, które najpierw zostały ukradzione, a potem... – komendant Procki zawahał się, szukając odpowiedniego słowa.

– Zamordowane! – krzyknął ktoś z sali.

– ...A potem... zgładzone – dokończył z naciskiem policjant i odetchnął z ulgą. Początek miał za sobą. – W wyniku poszukiwań i prowadzonego śledztwa dotarliśmy do Jakuba, u którego owe kury znaleźliśmy.

146

– A może to były całkiem inne kury?! – krzyknął ktoś z sali.

– Kura do kury podobna!

– O przepraszam! – Oburzona Piechaczowa odwróciła się w stronę wołającego. – Moje kury były niepowtarzalne i niepodobne do innych!

– Bardzo proszę o spokój! – Wójt zastukał dłonią w stół. – Panie komendancie, proszę kontynuować.

Procki najchętniej zakończyłby w tym miejscu sprawozdanie, ale kilkadziesiąt par oczu wpatrywało się w niego, oczekując dalszej relacji.

– Ponieważ dowód przestępstwa został znaleziony, doszło do tymczasowego zatrzymania Jakuba, który od dnia kradzieży znajduje się w naszym areszcie. – Komendant Procki odetchnął. Uznał, że raport ustny wyszedł mu całkiem sprawnie.

– Dziękuję, panie komendancie. Czy ktoś w tej sprawie ma coś do powiedzenia? – zapytał wójt.

– Ja! – Podniosła dłoń Piechaczowa, niczym uczennica w czasie lekcji.

– Pani Piechaczowa, bardzo proszę – skinął głową wójt i spojrzał ze współczuciem na Jakuba.

Piechaczowa wstała, rozejrzała się po wszystkich i jej twarz przybrała żałosny wyraz.

– To, co się stało, to dla mnie prawdziwy dramat... – Otarła z policzka niewidzialną łzę. – Mieszkam od lat sama i te kurki były moim szczęściem... jedyną pociechą... Nawet nadałam im imiona... jedna miała na imię Szarka, druga Iskierka, trzecia Psotka, czwarta Tusia i ta piąta, moja ulubiona – Złotawa. I żyłyśmy sobie szczęśliwie, aż nadszedł ten straszny dzień, kiedy ten straszny człowiek – w tym miejscu wskazała dłonią na Jakuba – dokonał zbrodni i zabrał mi moje jedyne radości!

Przez salę po jej słowach znowu przeszedł pomruk oburzenia.

– Dlatego domagam się, aby został surowo ukarany. – Piechaczowa chlipnęła. – Może w ten sposób powstrzymamy tego człowieka od innych, poważniejszych przestępstw – zakończyła melodramatycznie i usiadła.

Ania i Piotrek spojrzeli po sobie. Po słowach Piechaczowej znacznie wzrosło wrogie nastawienie wobec Jakuba.

– Powinien opuścić miasto! Dzieci się go boją! – krzyknęła jedna z pań od Piechaczowej.

Ania trąciła Piotrka w ramię.

– Gdzie jest Jędrek? – szepnęła do brata.

– Kurczę, jak nie przyjdzie, będzie klops – stwierdził Piotrek.

– Jakubie, czy masz coś na swoje usprawiedliwienie? – zwrócił się wójt do Jakuba.

Ale Jakub nie odezwał się słowem. Patrzył gdzieś przed siebie, jakby zupełnie nie zdawał sobie sprawy z powagi sytuacji.

Wtedy ze swojego miejsca wstał tęgi pan Werner i zastukał laską w podłogę.

– Jeśli można... – zaczął spokojnie i omiótł salę wzrokiem. – Jakub mieszka w Lipkach, odkąd pamiętam. Czyli, jak policzyłem, mniej więcej czterdzieści lat... to szmat czasu. Niektórzy zgromadzeni na tej sali mają mniej lat, nie mówiąc już o latach spędzonych w Lipkach. Chciałbym zapytać, czy kogokolwiek z państwa spotkała ze strony Jakuba jakaś nieprzyjemność? Czy Jakub kogoś obraził albo nie daj Boże zaatakował? – Werner zawiesił głos, oczekując odpowiedzi, ale jej nie otrzymał. Nikt na sali nie mógł sobie niczego takiego przypomnieć. – Odpowiem za państwa: nie. Nic takiego się nie stało. Jakub żył zawsze po swojemu, może inaczej niż my wszyscy, ale czy gorzej? I czy to znaczy, że jest winny? Rzeczywiście, trudno wyjaśnić, jak to się stało, że zaginione kury znalazły się u niego w domu, ale chciałbym wyraźnie powiedzieć – nie wierzę, aby Jakub był zdolny do tego czynu. Zawsze strzegł swojego spokoju i nie ingerował w cudze życie. Nie sądzę, aby nagle coś mu się pomieszało – zakończył pan Werner i sapnął zmęczony swoim wystąpieniem. Usiadł na swoim krześle, które przyjęło go z lekkim jękiem.

Po słowach Wernera zapadła na sali cisza.

– Najważniejszy jest dowód winy – powiedział z końca sali Zydel. – Nie ma o czym mówić.

– Dostałem od grupy mieszkańców list, taki rodzaj petycji – zabrał głos wójt. – W liście tym mieszkańcy żądają, aby dla dobra naszej społeczności Jakub opuścił Lipki. – Wójt poprawił krawat. – Chciałbym wiedzieć, czy ten list popiera większość z państwa. Proszę się nad tym zastanowić. Tymczasem zarządzam przerwę.

Ania i Piotrek wpatrzyli się w drzwi, mając nadzieję, że za chwilę pojawi się w nich Jędrek.

• • •

Jędrek uporał się z podłogą w dwóch pokojach na piętrze. Zerknął na zegarek i serce zabiło mu mocniej. Spotkanie w sprawie Jakuba trwało już od dobrej godziny. Jeśli zaraz się tam nie pojawi, wszystko stracone. Na domiar złego mama zachowywała się jak strażnik – patrzyła mu na ręce, cały czas sprawdzała, gdzie jest i co robi. Nie sposób było jej się wymknąć. Malarze przesuwali się ze swoimi wałkami i kuwetami w kolejne rejony domu i wciąż trzeba było torować im drogę, odsuwając meble i przenosząc różne przedmioty. Mama biegała w tę i z powrotem, wydając tylko synowi polecenia: „Przenieś. Podnieś. Odsuń. Wyczyść. Poskładaj".

Jędrek dwoił się i troił, mając nadzieję, że mama zlituje się i da mu w końcu godzinę wolnego. Więcej nie potrzebował. Godzina by wystarczyła, aby dotrzeć do miasteczka, wykazać niewinność Jakuba i wrócić. Niestety, mama nie chciała nawet o tym słyszeć.

– Każdego innego dnia robisz, co chcesz. Dzisiaj potrzebny jesteś tutaj – powiedziała stanowczo.

No i jak miał jej wytłumaczyć, że tego dnia potrzebny jest również zupełnie gdzie indziej? Może nawet o wiele bardziej? Czas mijał nieubłaganie i jeśli miał uratować Jakuba, musiał podjąć niełatwą decyzję. Kiedy mama znikła w kuchni, aby zmęczonym malarzom przygotować kawę i herbatę, ruszył na palcach w stronę wyjścia. Ale Ewa była czujna. Kiedy tylko otworzył drzwi, natychmiast wyszła z kuchni.

– A ty dokąd? – spytała groźnie.

– Mamo...

– Żadne „mamo". Wracaj.

– Nie mogę.

– Słucham? – nie wierzyła w to, co słyszy.

– Mamo, przepraszam, ja muszę...

Jędrek wypadł z domu, nim zdążyła zareagować. Dopadł do bramy, wybiegł na drogę i pognał w stronę miasteczka.

Mama wybiegła za nim.

– Jędrek! Natychmiast wracaj! Słyszysz?!

Ale Jędrek nawet się nie odwrócił.

– Wracaj! Dobrze ci radzę! – wołała za nim Ewa Rosochacka, ale jej syn był już daleko.

• • •

Zakończyła się przerwa w obradach, a właściwie sąd nad Jakubem, i wszyscy zajęli swoje miejsca. W przerwie przedstawiciele dwóch frakcji prowadzili ożywione rozmowy. Utworzyli dwie grupy, z których jedna, mniej liczna i cichsza, przyjęła stanowisko, że Jakuba trzeba bronić za wszelką cenę, druga, o wiele liczniejsza i hałaśliwa, domagała się ukarania go, a następnie wydalenia do innej miejscowości. Byłoby to porównywalne ze średniowiecznym wygnaniem, bo taką właśnie karę stosowano za kradzież w trzynastym wieku.

Wójt zajął miejsce i gestem dłoni uciszył zgromadzonych. W sali panował zaduch, sierpniowy upał dawał o sobie znać.

Wiele osób wachlowało się kartkami, inni przecierali twarz chustkami.

Pan Werner rozpiął koszulę pod szyją. Siedział na brzegu krzesła, podpierając się laską. Wydawało się, że już samo siedzenie w tym dusznym pomieszczeniu sprawia mu trudność. Jakub nadal unikał wzroku zebranych. Patrzył przed siebie, jakby wędrował gdzieś myślami i na pewno były to krainy o wiele ciekawsze niż sala gimnastyczna.

– Chciałbym, aby państwo, wydając decyzję w sprawie Jakuba, dobrze przemyśleli swoje stanowisko.

– Dlaczego on nic nie mówi?! Niech coś powie! – krzyknął ktoś z sali.

Wójt spojrzał na Jakuba.

– Czy chciałbyś coś powiedzieć?

Jakub zaprzeczył ruchem głowy, a pan Werner zamknął oczy. Czuł, że w tej właśnie chwili Jakub odrzucił jedyną szansę na zdobycie przychylności zgromadzonych. Ania i Piotrek spojrzeli na siebie zrozpaczeni. Za chwilę zapadnie ta straszna decyzja, a ich przyjaciela nadal nie ma.

• • •

Jędrek wbiegł do szkoły. Od woźnego dowiedział się, że zebranie jeszcze trwa. Do pokonania miał tylko długi korytarz – sala gimnastyczna znajdowała się na jego końcu. Upragnione drzwi były coraz bliżej, jeszcze zaledwie kilkanaście metrów i znajdzie się w środku. Gdy dobiegł do nich, nagle drogę zastąpił mu Tomek, prawa ręka Zydla.

– A ty tu po co?

– Na zebranie... – Jędrek z trudem łapał powietrze.

– Ciebie ono nie dotyczy, za krótko tu mieszkasz.

– Dotyczy, odsuń się – powiedział ze złością Jędrek i chciał wyminąć Tomka, ale ten znowu zastąpił mu drogę.

– Lepiej wracaj do tej swojej rudery. Dobrze ci radzę.

Wtedy w Jędrku coś pękło. Rudera? Przed oczami stanął mu obraz mamy, która ubrudzona farbą, zmęczona i niewyspana dokonuje cudów, aby uczynić ze starego domu miejsce do życia. Jak odmawia sobie przyjemności, ślęczy nad rachunkami i nawet nie skarży się na swój los. Przecież z dnia na dzień dom stawał się coraz piękniejszy i nie był żadną ruderą! Jędrek poczuł, jak wstępują w niego nadludzkie siły. Tomek był wysoki, barczysty, mógł z powodzeniem uchodzić za boksera albo lekkoatletę, a jednak o głowę niższy i szczuplejszy Jędrek nie wahał się ani chwili. Rzucił się na chłopaka i odepchnął go z całej siły. Zaskoczony tym nagłym atakiem kumpel Zydla nie zdążył nawet zareagować. Odchylił się do tyłu, przez chwilę próbował złapać równowagę, ale w końcu runął na podłogę. Jędrek już na niego nie patrzył, otworzył drzwi i wbiegł na salę.

Wpadł z takim impetem, że wszyscy odwrócili się i spojrzeli na niego.

– Jest! – Szczęśliwa Ania ścisnęła brata za rękę. – Wiedziałam, że przyjdzie.

Jędrek podbiegł do stołu, przy którym siedzieli wójt, komendant i Jakub. Oddychał ciężko, nie mogąc złapać tchu. Zdziwieni uczestnicy zebrania spoglądali na chłopaka, którego całe ubranie uwalane było białą farbą, a pot spływał mu ciurkiem ze skroni.

– Ja... ja... – Jędrek oddychał z trudem. Droga do miasteczka, a potem jeszcze spotkanie z Tomkiem kosztowały go dużo sił.

– Co z tobą, chłopcze? – zapytał wójt.

– Jakub...

– Co Jakub? Mówże – zniecierpliwił się wójt.

Na sali rozległ się szmer zaciekawienia.

– Jakub jest niewinny – powiedział w końcu Jędrek. Odwrócił się do wszystkich zgromadzonych i powtórzył głośniej: – Jakub jest niewinny!

Słowa Jędrka zaskoczyły wszystkich. Ludzie zaczęli szeptać, pytać siebie nawzajem, kim jest ten chłopiec, który z taką pewnością siebie ogłasza taką rewelację.

Pan Werner uśmiechnął się.

– Niebywałe, to prawie *deus ex machina**... – wymamrotał pod nosem.

Wójt spojrzał groźnie na chłopca.

– Skąd wiesz? Jeśli przyszedłeś stroić sobie żarty, to... Wtedy Jędrek sięgnął do kieszeni spodenek i wyjął z nich scyzoryk.

– Znalazłem go w kurniku u pani Piechaczowej. Kury zabrał i zabił właściciel tego scyzoryka.

– Czyli kto?

– Tu jest napisane – powiedział Jędrek i podał scyzoryk wójtowi.

Ten wziął z rąk Jędrka dowód winy.

– „Wojtkowi Zydlowi za wybitne osiągnięcia sportowe" – przeczytał napis na trzonku. – Zydel! – zakrzyknął.

Wszyscy spojrzeli na Wojtka Zydla, który skulił się na swoim krześle i było jasne, że najchętniej zapadłby się teraz pod ziemię.

– Ty łobuzie! – ryknęła Piechaczowa.

A wtedy Zydel nie wytrzymał napięcia, poderwał się z krzesła i wybiegł z sali.

---

* *Deus ex machina* – (łac.) „bóg z (teatralnej) maszyny" (tj. przybyły z góry, z nieba); nieoczekiwany wybawiciel.

10

Kolejna wskazówka księgi. Nocna wyprawa dzieci do lasu. Niebezpieczna przygoda Ewy Rosochackiej na bagnach.

Sprawa z Zydlem odbiła się głośnym echem w miasteczku. Przeciwnicy Jakuba przycichli, a Piechaczowa zdawała się nie pamiętać, że mówiła o nim coś złego.

– W takim nieszczęściu każdy reaguje emocjonalnie – tłumaczyła się. – Może coś tam o nim złego powiedziałam, nie pamiętam.

Od czasu tego zdarzenia pojawiła się na ulicy tylko kilka razy. Wolała siedzieć w domu lub w ogrodzie. Ci, którzy znali ją bliżej, przypuszczali, że płonie ze wstydu. Młodsze dzieci rozumiały to dosłownie i wyobrażały sobie, że Piechaczowa chodzi po domu w kłębach dymu, a jej ufryzowane włosy przypominają płonącą pochodnię. Gdy cała sprawa wyszła na jaw, komendant Procki od razu „zaopiekował się" Zydlem. Przesłuchanie było właściwie formalnością. Chłopak samą już ucieczką z sali gimnastycznej przyznał się do winy.

I nie było osoby, która nie słyszałaby o wyczynie Jędrka. Mówiono: „ten chłopiec ze strasznego domu..." „uratował Jakuba", „wpadł nagle i przyniósł dowód, dzielny chłopak". Kilka osób przyszło nawet pod dom Ewy Rosochackiej, aby osobiście pogratulować jej syna.

– Jędrek, dlaczego nic nie powiedziałeś? – pytała go zaskoczona i oczywiście przeszła jej cała złość za jego ucieczkę z domu.

– Oj, mamo. Dorośli nie rozumieją.

155

– Ja jestem matką, a nie dorosłym. Myślałam, że mi ufasz.

– Ufam, ale czułem, że muszę sam – odpowiedział jej na to stanowczo.

Nie pytała więcej. Zrozumiała, że Jędrek nie jest już jej małym synkiem, jak lubiła o nim myśleć, i przemienia się w mężczyznę. Była z niego dumna, choć w duchu miała nadzieję, że nadal będzie łaził po drzewach i rzucał się na lody czekoladowe, a bohaterskie czyny będą mu się zdarzać jedynie sporadycznie.

O ile w najbliższej przyszłości Jędrek nie zamierzał dokonać niczego podobnego, o tyle na pewno chciał sprawdzić, czy księga wprowadzi go w tajemnicę domu. Ania i Piotrek obiecali pomóc mu w tym planie. Jego wyczyn sprawił, że rodzice bez problemu zgodzili się na ich wizyty w starym domu. A w starym domu zaszły już pewne widoczne zmiany. Salon, kuchnia, łazienka i pokój na piętrze zostały odmalowane. Do wykończenia został tylko drugi pokój na piętrze i strych. Dzieci ucieszyły się, że malarze pozostawili poddasze nietknięte. Miały tam jeszcze coś do załatwienia. Gdy Ewa udała się do miasteczka po zakupy, trójka przyjaciół odbyła w ogrodzie szybką naradę. Jędrek wyjął z kieszeni notatki i wtajemniczył rodzeństwo w plan.

– Najpierw sprawdzimy, czy księga może nam powiedzieć coś więcej o tym Stanisławie Komorowskim.

Ania wpatrywała się w jego zapiski.

– Napisałeś, że znalazłeś kartkę w komodzie, z dziwnym napisem... Co tam było napisane?

Jędrek wyciągnął z kieszeni kartę.

– „Gdy w kamieniu zastygły jak amonit, światło otrzymasz z zewnątrz, ogniem życiodajnym poruszony wyrwiesz się z murów więziennych. I pamiętaj, który trwasz w niebycie, że tylko zwykły człowiek ku wielkim skarbom może cię zaprowadzić oraz uczyni, abyś jak Feniks z popiołów powstał" – przeczytała na głos Ania. – Co to może znaczyć?

– Właśnie nie wiem. Może to nic ważnego.

– To wygląda na wskazówkę. Taką zaszyfrowaną – powiedział nagle Piotrek, który do tej pory nie wykazywał się zdolnościami logicznego myślenia. – Chodzi o to, aby kogoś skądś uwolnić.

Jędrek i Ania spojrzeli na siebie. To, co powiedział Piotrek, było genialne.

– Brawo, braciszku – uśmiechnęła się Ania.

– To nie było trudne – mrugnął do niej Piotrek. – W grach komputerowych ciągle są takie dziwne wskazówki.

Widać było jednak, że pochwała siostry sprawiła mu przyjemność.

– Ale o kogo może chodzić? – zastanawiał się Jędrek.

Tego już nie wiedzieli. Na razie postanowili wejść na strych, zanim wróci mama Jędrka, której by się to nie spodobało. Ania i Piotrek umierali z ciekawości, jak wygląda księga i jak szafa reaguje na hasło. A może przy nich szafa okaże się mniej magiczna? Może wybrała tylko Jędrka? A jeśli nic się nie stanie? Na wszystkie te pytania mieli już za chwilę poznać odpowiedź. Jędrek poinstruował ich, żeby po otwarciu szafy nie dotykali księgi i spokojnie czekali na to, co się wydarzy.

Gdy znaleźli się na strychu, zamiast światła zapalili latarkę, aby Ewa Rosochacka, wracając z zakupów, nie zorientowała się, że buszują w miejscu zakazanym.

Anię z jednej strony paliła ciekawość, by zobaczyć księgę, z drugiej trochę się bała. Świetnie radziła sobie z wszelkimi logicznymi i praktycznymi zadaniami. Ale magia? Albo niewytłumaczalne zjawiska? Od tego wolała trzymać się z daleka.

Piotrek przeciwnie. Uwielbiał dziwne zjawiska i gdyby świat składał się z samych magicznych zdarzeń, wtedy życie przypominałoby jedną wielką grę przygodową.

Gdy stanęli przed szafą, Jędrek spojrzał na nich i położył palec na ustach, nakazując milczenie. Następnie wziął wdech i powiedział:

– O, jaka cudna intarsja z drzewa cedrowego.

Piotrek spodziewał się, że szafa otworzy się przed nimi z nadzwyczajnymi efektami świetlnymi i dźwiękowymi. Rozczarował się, bo po wypowiedzeniu hasła nic się nie stało. Jędrek po prostu chwycił za gałkę i pociągnął. Wtedy drzwi się uchyliły. W środku rzeczywiście znajdowały się księga i jakiś rulon. Piotrek najchętniej chwyciłby od razu oba przedmioty i obejrzał, ale powstrzymał się. Czekali chwilę, ale nic się nie działo. Ania i Piotrek spojrzeli na Jędrka.

– I co teraz? – spytała Ania.

– Zaczekajcie – odparł spokojnie Jędrek.

– Może ona nie chce, żebyśmy tu byli? – zmartwił się Piotrek.

Jędrek pokręcił przecząco głową.

– Ona musi wiedzieć, że od teraz wszystko robimy razem.

Albo jego słowa podziałały magicznie, albo po prostu szafa miała własny rytm dawania znaków, w każdym razie rulon przechylił się nagle i wypadł z szafy. Potoczył się tuż pod nogi Ani i oparł na jej sandale. Przestraszona spojrzała na Jędrka.

– Szafa chce, żebyś go podniosła.

Ania podniosła więc rulon i rozwinęła go. Okazał się wyrysowaną przez kogoś mapą.

Przyjaciele wpatrzyli się w system linii i punktów, próbując odgadnąć miejsca zaznaczone na planie.

– Tu jest jakiś dom, tu droga... – czytał mapę Piotrek. – Ale to może być każdy dom i każda droga.

Miał rację. Na mapie nie było żadnego charakterystycznego znaku, który wyglądałby znajomo i dał się rozszyfrować. A wtedy z pomocą przyszła im księga.

– Spójrzcie... – szepnął Piotrek.

Księga była otwarta. Skupieni na mapie nie zauważyli nawet, kiedy się otworzyła. Jędrek natychmiast wziął ją w dłonie. Jednak otwarte strony nie były zapisane. Miejsce tekstu zajmował... rysunek cytryny.

– Cytryna? – zdziwił się Piotrek.

– Może ona z nas żartuje? – zmartwiła się Ania.

I wtedy Jędrek doznał olśnienia.

– Wiem! O rany, wiem! – krzyknął podekscytowany.

– Co wiesz? – spytała Ania.

– Wiem, dlaczego cytryna, ale to proste!

– Jędrek, mów, bo cię trzepnę – zagroził Piotrek.

– Słuchajcie... o rany, ale numer, słuchajcie... – Jędrek był zachwycony odkryciem i z emocji nie potrafił sklecić sensownego zdania. – Sok z cytryny! Rozumiecie?!

Ania i Piotrek spojrzeli na siebie niepewnie.

– Na mapie są dodatkowe znaki narysowane sokiem z cytryny! To atrament opata Farii!

– Jakiego znowu opata? – zdziwiła się Ania.

– W powieści o hrabim Monte Christo opat Farii sokiem z cytryny zaznacza na mapie drogę do skarbu. Pamiętam, jak tata o tym mówił.

– To co teraz? – dopytywał się Piotrek, któremu tata nie opowiadał o tajemniczych opatach, a jedynie o silnikach japońskich motorów.

– Teraz mapę trzeba podgrzać. – Jędrek uspokajał się trochę, ale w jego głosie nadal pobrzmiewała ekscytacja.

Nie zastanawiali się dłużej. Zwinęli mapę i wyszli ze strychu. Nie, nie wyszli. Zbiegli, jakby ich ktoś gonił. Wpadli do kuchni.

– Trzeba uważać, żeby jej nie spalić.

– Trzymanie nad palnikiem jest ryzykowne – powiedziała praktyczna i rozsądna Ania. – Może lepiej podgrzać ją świeczką?

Weszli do salonu i położyli mapę na stole. Jędrek wyjął świeczkę z komody. Kiedy Ania i Piotrek unieśli mapę nad stołem, Jędrek przesunął pod nią zapaloną świeczkę. Trzymali mapę w odpowiedniej odległości, aby papier nie zajął się od płomienia, ale na tyle blisko, aby mapa została ocieplona ze wszystkich stron. I stało się coś niezwykłego. Pod wpływem ciepła na planie zaczęły pojawiać się dodatkowe znaki. Było ich wiele – linie, drogi, budynki... Jędrek zgasił świeczkę i cała trójka pochyliła się nad arkuszem. Teraz nie mieli wątpliwości. Był to plan Lipek. Nie kryli radości.

– Tu jest szkoła!

– Patrzcie, jak fajnie narysowany kościół.

– A tu poczta i dom Piechaczowej!

– I dom dziadka!

– Spójrzcie na ten znak – wskazała palcem Ania. – Jest całkiem inny.

Chłopcy wpatrzyli się w niego.

– Jakoś mocniej zaznaczony... – zauważył Jędrek.

– To przecież dom Jakuba – stwierdził nagle Piotrek.

Ania wpatrzyła się w znak.

– Nie, to miejsce obok jego domu. Niedaleko, ale to nie dom.

Rzeczywiście, dom Jakuba był zakreślony delikatną linią, natomiast wyraziste kółko znajdowało się nieco dalej. Przyjaciele spojrzeli na siebie.

– Co robimy? – spytał Piotrek.

– Trzeba tam iść – stwierdził z przekonaniem Jędrek.

– Teraz? – zaniepokoiła się Ania.

– Dlaczego nie? – Jędrek nie chciał tracić ani chwili.

– Zanim tam dojdziemy, zrobi się ciemno. Może jutro? – Ania nie miała ochoty chodzić po ciemnym lesie.

– Jak się boisz, to wracaj do mamy. – Piotrek postanowił podrażnić się z siostrą.

– Ty nie bądź taki dowcipny, wiesz? – nadąsała się Ania. – Dobrze, to idziemy – zdecydowała w końcu.

• • •

Ewa Rosochacka wracała z miasta w towarzystwie pana Wernera, którego spotkała na ulicy. Widząc, że idzie z ciężkimi siatkami, zaoferował pomoc. Ewa nie bardzo wyobrażała sobie, jak owa pomoc ma wyglądać, ponieważ pan Werner miał dość własnych kilogramów, aby brać na siebie jeszcze dodatkowe. Wyobraziła sobie, że idą dwa dni, noga za nogą, a po drodze zjadają kolejne produkty, aby nie opaść z sił. Sprawa jednak szybko się wyjaśniła.

– Mam samochód. Rzadko z niego korzystam, żeby więcej chodzić, ale w tej sytuacji...

Po niemal półgodzinnych wysiłkach udało się w końcu Wernerowi uruchomić nieużywany od dawna samochód. Auto trzeszczało i chybotało się na piaszczystej drodze, ale jechało.

– Może być pani dumna z syna. Wspaniale się zachował w sprawie Jakuba.

– Dziękuję. Nic mi łotr nie powiedział, wszystko trzymał w tajemnicy – uśmiechnęła się Rosochacka zadowolona z pochwały.

– Dobrze zrobił. Jakubowi ta pomoc była potrzebna.

– To miły człowiek, był u mnie w domu i pomagał panu Heniowi w drobnych pracach.

Zaskoczony Werner odwrócił wzrok od drogi i spojrzał na Ewę.

– Był u pani? Jakub?

– Tak. Pojawił się, jak tylko się wprowadziłam.

– To bardzo dziwne – zamyślił się Werner. – Bardzo.

– Dlaczego? – spytała zaciekawiona Ewa.

Tęgi kolekcjoner znaczków chwilę zwlekał z odpowiedzią.

– Ten dom jest dla niego miejscem... Od tego miejsca zaczęły się wszystkie jego nieszczęścia.

Zabrzmiało to tak intrygująco, że Ewa nie mogła powstrzymać się od drążenia tematu.

– A co się tam wydarzyło?

– To się stało wtedy, kiedy mieszkał w tym domu Stanisław Komorowski, młody chemik o arystokratycznym pochodzeniu.

– Ten słynny hrabia?

– Słyszała pani o nim?

– Tak, od pani Piechaczowej. Podobno wyjechał pewnego dnia i ślad po nim zaginął.

– No tak, tyle wie Piechaczowa – kiwnął głową Werner i uśmiechnął się. – Na szczęście.

– A było inaczej? – Ewa poczuła, jak z każdą chwilą rośnie w niej ciekawość.

– On rzeczywiście wyjechał nagle pewnej nocy, ale niewiele osób wie dlaczego.

– Pan wie?

– Wiem – odparł tajemniczo Werner.

– To ma związek z Jakubem? – nie wytrzymała Ewa, która w jednej chwili stworzyła w myślach setki hipotez.

– Tak. I z jego błędem młodości – odpowiedział spokojnie Werner. – Proszę się nie gniewać, ale nie mogę powiedzieć nic więcej. Być może nadejdzie taka chwila, że Jakub sam o tym wszystkim opowie.

– Oczywiście, rozumiem – kiwnęła głową Ewa, ale poczuła ukłucie żalu. Doceniała dyskrecję Wernera, a jednak akurat w tej chwili nie miałaby nic przeciwko temu, aby złamał swoje zasady.

– Tak czy inaczej jestem pewny, że pani syn wyrośnie na dzielnego mężczyznę – zakończył pan Werner, zatrzymując samochód przed bramą starego domu.

● ● ●

Ania żałowała, że wybrała się na tę nocną wyprawę po lesie, tym bardziej że Piotrek postanowił dojść do domu Jakuba krótszą drogą. Przedzierali się teraz przez gęste zarośla, wpadając w jakieś doły, a wokół robiło się coraz ciemniej. Miała wrażenie, że wszystkie leśne pajęczyny uwzięły się, aby wylądować na jej twarzy. Niewidoczne nitki łaskotały ją w policzki i szyję. Otrzepywała się co chwila, jakby biegała po niej cała armia pająków.

– Nie wiem, dlaczego nie mogliśmy tego zostawić na jutro.

– Posłała bratu gniewne spojrzenie.

– Ale się mazgaisz – odparł prześmiewczo Piotrek i zaraz uchylił głowę, aby nie oberwać szyszką rzuconą przez siostrę. Jędrek szedł w milczeniu. Miał wrażenie, że są o krok od odkrycia wielkiej tajemnicy, i ta świadomość dodawała mu odwagi. Nie zastanawiał się nawet nad tym, że przy zapadającym zmroku las może szykować dla nich różne niespodzianki. Niekoniecznie miłe.

Po kilku minutach dostrzegli w końcu dach chałupy Jakuba. Przystanęli. Dom oddalony był od nich o jakieś dwieście metrów.

– Gdzie mamy szukać tego miejsca? To ogromny teren – zmartwiła się Ania.

– Zerknijmy na mapę – zdecydował Jędrek.

Usiedli na trawie i rozłożyli mapę. Było już na tyle ciemno, że musieli poświecić sobie latarką. Zaznaczone grubym kółkiem miejsce znajdowało się mniej więcej kilkadziesiąt metrów od domu.

– Podejdźmy tam. Rozejrzymy się – podjął decyzję Jędrek.

– Anka może zostać na czatach, bo pewnie się boi – mrugnął Piotrek do Jędrka.

– Za żadne skarby nie zostanę tutaj sama. Idę z wami. – Ania nie zamierzała dłużej udawać odważnej.

– Zgoda. Idziemy wszyscy. – Jędrek zwinął mapę i włożył do plecaka.

Szli teraz wolniej, uważając, aby nie nastąpić na żadną suchą gałązkę, która zdradziłaby ich obecność. Przystawali co chwila i nasłuchiwali. Nie dochodziły do nich żadne inne odgłosy poza tymi, które zwykle o tej porze wydaje las. Jakiś ptak zahuczał w oddali, coś zatrzepotało w konarach drzew, ale nie były to na szczęście przerażające dźwięki. Z każdym krokiem byli coraz bliżej zaznaczonego na mapie punktu. Czuli, jak rosną w nich emocje. Co znajdowało się w tym miejscu? Co zobaczą? Gdy ocenili, że znaleźli się już w odległości kilku metrów od celu, zatrzymali się. Widzieli wyraźnie dom Jakuba – w oknach paliło się światło, drzwi były zamknięte, a z komina unosił się wąską smużką dym.

– To musi być gdzieś tutaj – powiedział Jędrek i rozejrzał się. Miejsce to nie wyróżniało się niczym szczególnym. Kilka drzew, krzewy, porośnięte mchem niewielkie wzniesienie. Nie było żadnego charakterystycznego elementu czy choćby nietypowego ukształtowania terenu, co wskazywałoby na podziemną kryjówkę. Nie wiedzieli, co dalej robić.

– Spróbujmy przeszukać to miejsce, może coś znajdziemy – zdecydował Jędrek.

Nie zapalili latarki, ponieważ jej światło mogło zdradzić ich obecność. Poświata z okien Jakuba była jednak dość jasna, aby zorientować się w terenie. Rozpoczęli poszukiwania, metr po metrze. Podnosili liście, odgarniali ziemię, potrząsali gałązkami krzewów. Nie natrafili jednak na nic szczególnego oprócz wielkiej kani ukrytej pod liśćmi, małego kopca mrówek i kilku ślimaków bez skorupek, na których widok Ania wzdrygnęła się z niechęcią. Wyglądało na to, że poszukiwania zajmą im więcej czasu, niż przypuszczali. Jeśli znajdowało się tutaj coś niezwykłego, musiało być dobrze ukryte.

• • •

– Jędrek? – zawołała Ewa, wchodząc z zakupami do domu. Ale Jędrek nie odpowiedział, ponieważ trudno odpowiedzieć na czyjeś zawołanie, znajdując się około dwu kilometrów dalej. – Gdzie on znowu przepadł?

Ewa spojrzała na zegarek. Zbliżała się dziewiąta. Zwykle o tej porze krzątała się w kuchni, przygotowując kolację, a wygłodniały Jędrek zaglądał jej przez ramię. Jednak teraz stary dom tonął w ciszy i ciemności, a po jej synu nie było śladu.

– Tak nie może być. Nawet kartki nie zostawił – zdenerwowała się. – Niech tylko wróci, już ja się z nim rozprawię.

Gdy weszła do salonu, zamarła. Cała podłoga w jej świeżo odmalowanym pokoju wybrudzona była śladami stóp, serweta na stole zalana stearyną, a na ścianie dostrzegła odcisk czyichś pleców – widocznie któreś z dzieci wybrudzone na strychu nieopatrznie oparło się o nią.

– Niech ja go tylko dorwę – powiedziała pod nosem zagniewana. – Nie uratuje cię już żaden bohaterski wyczyn.

Najchętniej zajęłaby się teraz wymyślaniem kar dla niego, ale zrezygnowała. Ważniejsze od wszelkich nagan było to, gdzie on w ogóle jest. Spojrzała w okno. Ogród tonął w takiej ciemności, jak gdyby zalały go hektolitry smoły. Przeszedł ją dreszcz na samą myśl, że miałaby opuścić jasne pomieszczenie, ale Jędrek był właśnie gdzieś tam i może potrzebował jej pomocy. Nie wiedziała, co robić. W końcu postanowiła rozejrzeć się po okolicy. Żałowała, że nie zatrzymała pana Wernera. Mogliby razem udać się na poszukiwanie jej syna marnotrawnego, na pewno byłoby jej raźniej. Ewa zarzuciła kurtkę na plecy i wyszła.

• • •

Zmęczony Piotrek usiadł na ziemi. Dłonie miał czarne od grzebania w niej, kolana zazielenione leśną ściółką, a celu ich poszukiwań wciąż nie było widać.

– To nie ma sensu – powiedział i rzucił ze złością szyszką w drzewo.

Jędrek i Ania również mieli nietęgie miny.

– Może popełniliśmy jakiś błąd? – zastanowił się Jędrek.

– Ale miejsce na mapie się zgadza, to musi być tutaj – prze-
konywała Ania.

– E tam, nic z tego nie będzie. Ja mam dość. – Piotrek położył się na ziemi.

Leżał na plecach i patrzył na chmury płynące po niebie.
Czarne i szare kłęby przesuwały się dostojnie ponad konara-
mi drzew, raz przesłaniając, to znów odsłaniając jasnożółty
księżyc. Ania i Jędrek usiedli obok niego.

– Mówię wam, tutaj trzeba przyjść w dzień. W nocy nic nie
widać. Może chodzimy koło tego i nawet o tym nie wiemy –
odezwała się Ania.

W tej samej chwili wzrok Piotrka padł na drzewo, obok którego siedzieli. Mniej więcej dwa, trzy metry nad ich głowami,
w korze drzewa znajdował się ciemny otwór. Serce zabiło mu
szybciej. Usiadł, uśmiechnął się i spojrzał triumfalnie na przyjaciół.

– Znalazłem.

– Co?

– Kryjówkę.

Wstał i wskazał dłonią otwór w drzewie.

– Tam jest dziupla. Niech mi wejdą do uszu wszystkie szczy-
pawki świata, jeśli to nie jest to.

Ania i Jędrek spojrzeli we wskazanym kierunku. Rzeczywiście, dziupla mogła być owym tajemniczym punktem zazna-
czonym na mapie.

– Braciszku, jesteś boski – pisnęła cicho Ania i z radości po-
całowała go w policzek.

– No pewnie – uśmiechnął się dumny z siebie Piotrek.

– Jest za wysoko. Nie dostaniemy się tam – zanalizowała sytuację dziewczynka.

– Dostaniemy. Musimy. – W głosie Jędrka zabrzmiał nie-
wiarygodny wprost upór. Nie było szans, żeby odszedł teraz
od drzewa. – Zrobimy drabinę.

– Będziesz teraz budował drabinę? – zdziwiła się Ania.

– Z siebie ją zrobimy.

I tak zrobili. Najpierw przy drzewie stanął Jędrek, potem Piotrek stanął mu na ramionach. Następnie jedną ręką przytrzymał się drzewa, a drugą podał siostrze, która jako najlżejsza z nich miała stanowić ostatnie piętro tej wieży. Ani wchodzenie poszło mniej sprawnie. Kilka razy straciła równowagę i spadła, ale w końcu udało jej się wspiąć na brata. To ona miała wyciągnąć z dziupli to coś, po co przybyli do lasu.

– Teraz wsadź rękę i sprawdź, czy coś tam jest – powiedział Jędrek, którego twarz zrobiła się czerwona z wysiłku.

Łatwo było powiedzieć, trudniej zrobić. Przed twarzą Ani czernił się otwór dziupli, która mogła kryć wszystko. Może były tam robaki? Albo jakieś dzikie zwierzę? A jeśli, co gorsza, siedziało tam coś mrocznego i przerażającego, co złapie ją za dłoń i ugryzie? Ania nie mogła się zdecydować.

– No co ty tam robisz? Sprawdzaj! – popędzał ją Jędrek, który już ledwo utrzymywał się na nogach.

– Ona się boi – sapnął Piotrek.

– Anka, błagam, dłużej nie wytrzymam – jęknął Jędrek.

Ania zamknęła oczy. Jeśli nic jej nie ugryzie, nie ukąsi, to obiecuje, że nigdy więcej nie będzie biegała po lesie w nocy, nigdy nie zakpi z brata, nie będzie też zazdrościła dziewczynom ciuchów... Wyliczanka czynów przysięgi trwałaby pewnie jeszcze o wiele dłużej, gdyby nie Jędrek.

– Uwierz księdze i włóż tam rękę, bo cię sporę! – syknął ze złością.

Ania wzięła głęboki wdech i włożyła dłoń do dziupli. Na początku nic nie wyczuła. Poruszała ręką, sprawdzając, czy coś w niej jest, ale na nic nie natrafiła.

– Sięgnij głębiej... – wysapał Jędrek, pod którym nogi już się uginały. Widać było, że misterna wieża trzyma się jeszcze tylko siłą woli.

I wtedy Ania natrafiła na ukryty w dziupli pakunek.

– Mam! – krzyknęła i w tym samym momencie cała trójka runęła na ziemię.

• • •

Ewa miała nadzieję, że może Jędrek z przyjaciółmi zaszył się gdzieś w oddalonej części ogrodu. Obeszła go z każdej strony. Jednak syna nigdzie nie było. Poczuła w sercu ukłucie niepokoju, jaki miewają matki, gdy tracą z oczu swoje dzieci. Ich myśli przypominają wtedy scenariusz filmu sensacyjnego, filmu, którego jednak one same nie chciałyby oglądać. Jeśli Jędrka nie było w ogrodzie, nie pozostawało jej nic innego, jak poszukać go wokół domu.

Gdy wyszła poza bramę, zobaczyła po lewej stronie czarną ścianę lasu. Nigdy nie była tam o tej porze. Mimo lęku zdecydowała się kontynuować poszukiwania.

– Jędrek! – zawołała z nadzieją, że może jest w pobliżu i zaraz do niej przybiegnie.

Droga była jednak pusta, a w oddali pobłyskiwały tylko światła lipskich domów. Ewa postanowiła wejść do lasu i nie zapuszczając się zbyt daleko, przeczesać jego skraj. Ciemność szybko pokazała, na co ją stać. Ewa najpierw nadziała się na jakieś gałęzie, następnie wpadła do dołu, potem coś smagnęło ją po twarzy. Szła i wołała, lecz bez odzewu. Skraj lasu dawno się skończył, wchodziła w coraz gęstszy las.

• • •

Chłopcy wpatrywali się w pakunek, który Ania triumfalnie trzymała w dłoni. Był niewielki, schowany w płóciennym worku.

– Chyba nie będziemy się tak na niego gapić, sprawdźmy, co jest w środku – nie wytrzymał Piotrek.

– Dobrze, ale nie tu. Odejdźmy stąd – zdecydował Jędrek.

Cała trójka przemieściła się szybko pięćdziesiąt metrów dalej i usiadła na trawie. Ania poświeciła latarką, a Piotrek rozplątał związany sznurkiem pakunek. W środku znajdował się plik listów przewiązany czerwoną wstążką.

– Listy... – W głosie Piotrka zabrzmiało uczucie zawodu.

Pamiętał opowieść wujka Teofila, który kupił stare mieszkanie w Krakowie i w ścianie kuchennej, w skrytce za cegłą, znalazł kilkanaście tysięcy dolarów. Dlaczego tylko inni mają takie szczęście? Listy nie wydawały mu się niczym fajnym. Były pożółkłe, trochę zniszczone. Na pewno nic niewarte. Idąc na poszukiwania do lasu, myślał o czymś drogim, kosztownym, jednym słowem – dla Piotrka była to wyprawa po skarb, co oczywiście przemilczał przed pozostałymi. Anię i Jędrka również zaskoczyła zawartość pakunku, choć w odróżnieniu od Piotrka nie mieli o nim żadnych wyobrażeń.

– Otwórzmy jeden z listów – zaproponowała Ania i nie czekając na reakcję chłopców, wyjęła z pliku jeden z nich. – To list Stanisława Komorowskiego do jakiejś Anny Liszewskiej! I jej do niego! – powiedziała podekscytowana.

Zaczęła go czytać. Po przebiegnięciu wzrokiem kilku linijek zaczerwieniła się.

– Boże, jakie piękne...

– Co? – spytał Piotrek.

Ania nie odpowiedziała. Czytała dalej, a jej twarz wyrażała coraz większy zachwyt.

– No co tam jest? – niecierpliwił się Jędrek.

– To listy miłosne... Boże, jak on cudownie do niej pisze... – Ania była wniebowzięta. – I ona do niego...

– Kurczę, no, i cały wysiłek po to, żeby znaleźć kilka listów. – Piotrek był rozgoryczony, tym bardziej że pisanie listów miłosnych było według niego czymś idiotycznym.

– Te listy to tajemnica starego domu – powiedział Jędrek. – W nich musi być odpowiedź.

Ania nadal czytała, a czytając, wzdychała, kręciła głową w zachwycie, wydawała odgłosy „ach" i „och" i chłopcy stwierdzili, że póki trwa w tym dziwnym stanie, nie ma sensu prowadzić z nią rozmowy.

– Ależ on ją kochał... – powiedziała w końcu i złożyła list. Zamknęła oczy i chłopcy już zaczęli się obawiać, czy nic jej się od tego listu nie stało. – Jak oni się kochali...

– Ania... mamy rozwiązać tajemnicę, a nie popiskiwać nad listami. – Piotrek próbował sprowadzić siostrę na ziemię.

– Co ty tam wiesz... – odpowiedziała rozmarzona.

• • •

Tymczasem Ewa Rosochacka przedzierała się przez las, wciąż nawołując, i z pewnością nie była w romantycznym nastroju. Nie miała dobrej orientacji w terenie i nawet nie zauważyła, kiedy zapędziła się dalej, niż chciała, w dodatku do zupełnie innej części lasu niż dzieci. Ale o tym nie mogła wiedzieć. Zdawało jej się, że krąży w pobliżu domu, podczas gdy szła coraz dalej na północ, w te rejony lasu, w które nie zapuszczali się nawet najstarsi mieszkańcy Lipek. Teren robił się coraz bardziej podmokły, ale Ewa zauważyła to dopiero wtedy, gdy w jej butach zaczęła chlupotać woda. Zawróciła i przeszła kilkanaście metrów. Niestety, wszędzie było grząsko, a ścieżka, którą szła do tej pory, gdzieś się zgubiła.

– No, tego jeszcze brakowało – szepnęła przerażona.

Rozglądała się z nadzieją, że może zobaczy w ciemności jakiś charakterystyczny znak, światło w oddali albo paski szlaku na korze drzewa, ale niczego takiego nie dostrzegła. W ogóle nie widziała zbyt wiele. Ciemny do tej pory las stał się teraz nieprzenikniony. Na jej twarzy siadały komary i inne owady, które, widocznie wyczuwając ciepło, spadały na nią z drzew jak zawodowi spadochroniarze. Otaczały ją niepokojące odgłosy – gdzieś trzeszczały gałęzie, coś szamotało się w zaroślach.

Nad wszystkimi odgłosami dominowało jednak kumkanie żab, co dobitnie świadczyło o tym, że właśnie dotarła na mokradła. Nie widziała, w którą stronę ma się udać. Jedynym jasnym punktem była gwiazda polarna.

• • •

Dzieci wychodziły z lasu, oświetlając sobie drogę latarką. Zajęte akcją nie zauważyły nawet, kiedy zapadła noc. Ania otrząsnęła się już z wrażenia, jakie wywarł na niej list Komorowskiego do Liszewskiej. Teraz martwiła się głównie tym, że ich rodzice, nie wiedząc nic o wyprawie dzieci, muszą umierać z niepokoju. Romantyczny nastrój ustąpił miejsca prozaicznej trosce. Ustalała z Piotrkiem, jak wytłumaczą rodzicom swój późny powrót do domu, o ile ci w ogóle dopuszczą ich do głosu.

Jędrek schował paczkę z listami do plecaka. Postanowił, że zbada je dokładnie w domu i może wtedy znajdzie odpowiedzi na dręczące go pytania. Na razie czuł się tak, jakby cała historia była układanką puzzli, która bez kilku ważnych elementów nie ma sensu.

– Powiemy, że byliśmy u Jędrka i trochę się zasiedzieliśmy – zaproponował Piotrek.

– Nie wiadomo, czy już ich tam nie ma. A jeśli przyjechali i nas nie spotkali, to być może szuka nas teraz całe miasteczko – kreśliła czarny scenariusz Ania.

– Przestań krakać – zdenerwował się Piotrek, który wyobraził sobie pobielałe z gniewu źrenice ojca, jego zmarszczone czoło i słowa niemieszczące się w żadnym słowniku. I mamę, oświadczającą ze zbolałą miną, jak wielki zadali jej cios. Nie wiadomo, co byłoby gorsze – rozszalały tata czy mama odwołująca się do uczuć wyższych i sumienia.

Ania i Piotrek doskonale znali okolicę i mimo ciemności kierowali się prosto ku domowi Jędrka.

• • •

W nieco gorszej sytuacji była Ewa, która znalazła się w samym środku mokradeł. A właściwie można powiedzieć, że z każdą chwilą jej sytuacja stawała się coraz bardziej dramatyczna. Droga, którą szła, stanowiła do tej pory dość stabilny grunt, ale zaledwie pół metra dalej, w prawo lub w lewo, czyhało na nią grzęzawisko. Przekonała się o tym, gdy nieopatrznie zeszła ze ścieżki. Jej noga momentalnie zapadła się w gęstym błocie. Ewa przestraszyła się nie na żarty.

– To straszne, przecież ja stąd nie wyjdę. Jeśli coś mi się stanie, nikt mnie tu nie znajdzie – szepnęła i serce zabiło jej z trwogi.

Zaczęła wołać o pomoc, ale las odpowiedział jedynie milczeniem. Szelesty, piski i kumkanie na pewno nie były dźwiękami nadchodzącej odsieczy. Nie sądziła zresztą, żeby o tej porze w lesie mógł znaleźć się ktoś, kto uwolniłby ją z tej pułapki. Droga w każdej chwili mogła się skończyć. I co wtedy? Czy będzie umiała wrócić? Gęsty las przerażał ją mnogością cieni, dziwnie wykrzywionymi korzeniami i ciemnością, ale przede wszystkim tym nieznanym czającym się być może gdzieś w pobliżu. Nagle coś świsnęło nad jej głową, wydało pisk i odleciało. Przez chwilę nic się nie działo. Las znowu oddychał w swoim rytmie. I nagle, nie wiadomo skąd, nadleciało kilkanaście podobnych stworzeń. Przelatywały z równie przeraźliwym piskiem i furkotem. Jedno z nich przefrunęło tak blisko, że Ewa krzyknęła i odskoczyła. Zeskok ze ścieżki okazał się fatalny w skutkach. Wpadła po kolana w bagno. W pierwszej chwili nie bardzo się tym przejęła, sądząc, że zaraz z niego wyjdzie. Jednak siła tkwiąca w masie błota zaczęła ją wciągać w głąb. Chwyciła się wystającego korzenia, który niestety okazał się słabym pomocnikiem. Oderwał się od podłoża i został jej w dłoniach. „To koniec" – przemknęło jej przez głowę. Czuła, że zapada się coraz głębiej. Mokradła wciągały ją do swojej podziemnej krainy. Słabła. Wiedziała już, co czuje owad zatopiony w gęstym miodzie. Zaczęła płakać. Łzy spływały na ubłoconą twarz, oczy zaszły mgłą. I wtedy pomyślała o Jędrku. Miałaby go opuścić? Tak po prostu? O nie, nie podda się, będzie walczyła. Dla niego. Wstąpiły w nią nowe siły. Po omacku zaczęła szukać jakiegoś stabilnego oparcia. Bez skutku. I kiedy straciła już nadzieję na ocalenie, poczuła, że ktoś chwyta ją za rękę. Uchwyt był mocny, bezpieczny.

– Proszę się nie szamotać, bo wtedy jest gorzej – powiedział męski głos.

Brzmiał stanowczo, ale zarazem łagodnie. Ewa kiwnęła głową i poddała się wskazówkom wybawiciela. Uspokoiła się trochę, następnie wyciągnęła do mężczyzny drugą rękę i wtedy stał się cud – przestała się zapadać. Mokradło jeszcze chwilę walczyło o nią, ale nieznajomy był silny. Ewa powoli wynurzała się z grząskiej masy.

Po chwili leżała na wąskiej ścieżce – brudna, zmęczona, zapłakana. Podniosła głowę i spojrzała na wybawcę. Spod szerokiego kapelusza patrzył na nią Jakub.

– Już dobrze, wszystko będzie dobrze – powiedział i uśmiechnął się.

• • •

Jędrek z przyjaciółmi dotarł do siebie i ze zdziwieniem stwierdził, że dom jest ciemny, a mamy nie ma. W czasie gdy krążył po pokojach w poszukiwaniu Ewy, Ania i Piotrek zadzwonili do domu. Ich rodzice szaleli z niepokoju – po kilku ostrych zdaniach podjęli decyzję, że za chwilę przyjedzie po nich tata. Tymczasem Jędrek obszedł cały dom i ogród. Mamy nigdzie nie było. Pomyślał, że na pewno szuka go teraz po okolicy. Uprzytomnił sobie, że mógł przynajmniej zostawić jej kartkę. Policzki zapiekły go ze wstydu. Tyle rozmawiali o odpowiedzialności i wzajemnej trosce, zwłaszcza teraz, gdy tata miał na karku wyprawę naukową i byli zdani wyłącznie na siebie. Ania i Piotrek pocieszali go. Przecież nic złego nie mogło się stać.

– Na pewno poszła do jakiegoś sąsiada. Zaraz wróci – powiedziała Ania, ale bez zbytniego przekonania. Stary dom nie miał sąsiedztwa.

– Ale jestem bałwan – zamruczał zły na siebie Jędrek. Chciał od razu wyjść i szukać mamy, ale Ania go powstrzymała.

– To nie ma sensu. W ten sposób będziecie ganiać się do rana. Zaczekaj na nią tutaj.

Tym razem rozsądek wziął górę i Jędrek został. Usiadł na ławie przed domem i wpatrzył się w ciemność.

– Twoja mama jest dzielna. Jeśli poradziła sobie z tym domem, to ze wszystkim sobie poradzi – pocieszała go Ania.

– Kurczę, jeśli coś jej się stało... – Jędrek czuł straszny niepokój.

– E tam – powiedział Piotrek. – Nasza babcia mówiła, że nad matkami latają dobre duchy. Nic im się nie może stać.

Ania spojrzała na Piotrka ze zdziwieniem. Nigdy nie słyszała, żeby ich babcia mówiła coś podobnego. Już zamierzała to wyjaśnić, ale Piotrek dyskretnie kopnął ją w nogę.

– Tak, pamiętam, mówiła tak. I na pewno miała rację – potwierdziła szybko słowa brata.

Gdy tylko to powiedziała, drzwi bramy skrzypnęły. Dzieci poderwały się z miejsc i wpatrzyły w wejście. Na podwórze wolnym krokiem wszedł Jakub, a wraz z nim... wymęczona i brudna Ewa.

11

Wizyta Piechaczowej u Jakuba. Rozwiązanie tajemnicy starego strychu. Odnalezienie hrabiego Komorowskiego.

Kiedy Jerzy Galica, tata Ani i Piotrka, przyjechał do starego domu po swoje dzieci, zastał tam dość niezwykły widok. Przy stole w dużym i jasno oświetlonym pokoju siedziała Ewa Rosochacka, jego dzieci, Jędrek i... Jakub. Mama Jędrka z mokrymi włosami, okryta kocem piła gorącą herbatę. Wyglądała tak, jakby dopiero co została wyłowiona z jeziora. Wszyscy oprócz Jakuba mieli czerwone od płaczu oczy. Jerzy Galica nie wiedział, że przed sekundą Ewa skończyła opowiadać dzieciom, co jej się przytrafiło. Jej relacja z walki o życie była tak przejmująca, że najpierw wzruszyła się Ania, potem zaszkliły się oczy Jędrkowi i Piotrkowi, a w końcu pod wpływem emocji ostatnich godzin rozpłakała się sama Ewa. Tylko Jakub siedział spokojny, cichy, jakby nic się nie stało.

– Tato! Jakub uratował mamę Jędrka! – krzyknął Piotrek i poderwał się z krzesła.

Dzieci, chaotycznie, ale za to bardzo dramatycznie wtajemniczyły ojca w ostatnie wydarzenia. Jerzy Galica po wysłuchaniu opowieści był nieco zdezorientowany. W ciągu ostatnich lat w Lipkach nie wydarzyło się tyle, ile w ciągu dwóch tygodni, odkąd Ewa i Jędrek wprowadzili się do starego domu. Podszedł do Jakuba i uścisnął mu dłoń.

Niedługo potem zabrał dzieci do domu, choć Ania i Piotrek chętnie jeszcze raz wysłuchaliby sensacyjnej opowieści, którą nazwali: „Mama na bagnach".

– W domu czeka was bura od mamy – powiedział Galica, wsiadając do samochodu, i z udawanym już gniewem spojrzał na dzieci spod zmarszczonych brwi. – Ona też chętnie wysłucha tej opowieści...

Po wyjściu Galiców w starym dworku zapadło milczenie. W końcu Jakub wstał od stołu. Dopiero wtedy Ewa spostrzegła, jak bardzo był mizerny i jak liche miał ubranie. Serce ścisnęło jej się z żalu.

– Pójdę już – powiedział spokojnie. – Dobrej nocy...

– Jeszcze raz dziękuję, panie Jakubie. – Ewa uśmiechnęła się.

– Nie ma za co... Naprawdę – powiedział samotnik i spojrzał na Jędrka. – On zrobił dla mnie o wiele więcej. Ma pani dobrego syna.

– Proszę do nas zaglądać. Co pan myśli o tym, żeby odwiedzić nas jutro o trzeciej? W porze obiadu?

Jakub zawahał się. Od lat nikt nie zaprosił go do swojego domu, nie mówiąc już o obiedzie. Propozycja Ewy wprawiła go w zakłopotanie.

– To będzie dla nas zaszczyt. – Ewa uprzedzała ewentualną odmowę. – Musi pan przyjść.

W tej sytuacji Jakub nie miał innego wyjścia, jak przyjąć zaproszenie.

Po jego odejściu Jędrek podszedł do mamy.

– Przepraszam... Nigdy więcej nie zostawię cię bez wiadomości.

Mama uśmiechnęła się i przytuliła syna.

– Po co łaziliście po tym lesie? – spytała.

– Eh, nic ważnego, takie tam – odpowiedział wymijająco.

– Jak zwykle tajemnice. Chyba muszę się z tym pogodzić – westchnęła Ewa. – Podejrzewam, że tata w Peru ma o wiele mniej atrakcji niż my tutaj.

• • •

Wiadomość o cudownym ocaleniu Ewy Rosochackiej przez Jakuba rozniosła się po miasteczku lotem błyskawicy. Pan Werner dowiedział się o tym, gdy zadzwonił do dziadka Antoniego, aby umówić się na partię szachów. Piechaczowej powiedział o tym pan Krótki, gdy robiła u niego zakupy. Pan Henio usłyszał tę historię od Jerzego Galicy, do którego zajrzał, aby pomóc mu przy remoncie starego motoru. Tak czy inaczej wszyscy wiedzieli już o bohaterskim czynie Jakuba i zdarzenie to ostatecznie zmieniło opinię ludzi o żyjącym w lesie samotniku. Gdy następnego dnia Jakub pojawił się w miasteczku, zorientował się, że coś dziwnego dzieje się wokół niego. Ludzie na ulicy uśmiechali się i pozdrawiali go. Jakaś pani podeszła i wręczyła mu ciepłe jeszcze ciasto ze śliwkami. Pan Krótki nie chciał przyjąć od niego żadnych pieniędzy za zakupy, a mijający go komendant Procki zasalutował. Żyjący w odosobnieniu Jakub nie był przyzwyczajony do takiego powszechnego zainteresowania, dlatego gdy zrobił wszystkie pilne sprawunki, wsiadł na rower i czym prędzej wrócił do lasu.

Pani Piechaczowa nie mogła znaleźć sobie miejsca. Chodziła po pokoju zatopiona w myślach: od okna do kredensu, od kredensu do szafy, od szafy do fotela. Chodziła i wzdychała. Najwyraźniej coś nie dawało jej spokoju. W końcu otworzyła szafę. Spojrzała na znajdujące się w środku rzeczy i kiwnęła głową:

– Tak. To najlepsze, co mogę zrobić.

• • •

Jędrek zmęczony wydarzeniami poprzedniego dnia spał wyjątkowo długo. Gdy w końcu się obudził, zobaczył przez okno, że mama siedzi w ogrodzie z poranną kawą i przegląda gazetę. Odetchnął. Była, nigdzie nie znikła. Ewa zobaczyła go i zamachała do niego.

– Umyj się i ubierz. Śniadanie jest w kuchni.

Po śniadaniu, na które rzucił się jak wygłodniały wilk, po-stanowił wrócić do sprawy listów. Upewnił się, że mama nie będzie potrzebowała go przez jakiś czas, wziął plecak i po-szedł do pokoju na piętrze. Pokój był już odmalowany, ale jeszcze nie do końca umeblowany. W środku stały jedynie mała komódka i stary fotel. Jednak niczego więcej Jędrek nie potrzebował. Usiadł w fotelu i wyjął paczkę z listami. Dopie-ro światło dnia ujawniło, jak bardzo są stare i zniszczone. W niektórych miejscach pismo na pożółkłych stronach z tru-dem dawało się odczytać, w innych było zupełnie nieczytelne. Jędrek przeglądał list po liście, szukając jakiejkolwiek wska-zówki, która naprowadziłaby go na trop tajemnicy. Niemal na każdej stronie Komorowski pisał o swojej wielkiej miłości i choć z pewnością jego zdania mogły zachwycać stylem, nie tego przecież Jędrek szukał. Wreszcie w jednym z listów zna-lazł coś, co go zastanowiło. Komorowski pytał w nim Annę, czy prawdą jest, że ktoś stara się o jej rękę, a jeśli tak, to ko-go zamierza wybrać. W tym momencie detektywistyczna żył-ka Jędrka dała o sobie znać. A jeśli ta Anna kochała innego? To mógł być powód, dla którego załamany Komorowski opu-ścił stary dom. Nadal jednak nie rozwiązywało to żadnej ta-jemnicy. A może podobnie jak z mapą w listach były jakieś dodatkowe informacje pisane sympatycznym atramentem? Wyjął z plecaka świeczkę. Zapalił ją i przez chwilę trzymał list nad płomieniem. Niestety, ani ten, ani żaden następny nie krył w sobie dodatkowych treści. Rozczarowany Jędrek odło-żył plik na komodę. Jeśli hrabia napisał je do swojej ukocha-nej, to po co włożył je do dziupli? A może zrobiła to Liszew-ska? Ta hipoteza wydała się mało prawdopodobna. Jego mama korespondencję od taty trzymała w szufladzie komody. Robi tak chyba większość kobiet. Zerknął na listy i zamyślił się. Coś mu w tej paczce nie pasowało.

– Koperty. One są bez kopert.

Nie wiedział jeszcze, co to może znaczyć, ale na pewno należało się nad tym zastanowić. Tymczasem mama zawołała go na dół, porzucił więc na razie śledztwo i wyszedł z pokoju. W przedpokoju zobaczył dwóch mężczyzn, którym mama wyjaśniała, co mają robić.

– Tylko bardzo proszę uważać. Proszę ją znieść ostrożnie, to zabytek. Teraz nie robi się takich szaf.

– Dobrze, będziemy uważać.

– Gdybyśmy nie uważali, pan Henio głowę by nam urwał – zażartował drugi.

Jędrkowi serce zabiło z niepokoju.

– Mamo? Chyba nie znosisz szafy na dół?

– Dlaczego nie? Właśnie tak zamierzam zrobić. Ona się tam niszczy.

– Nie możesz tego zrobić – powiedział stanowczo Jędrek.

– A to dlaczego?

Mężczyźni też spojrzeli na chłopca ze zdziwieniem.

– Ona... Ona musi zostać tam, bo... musi.

Tłumaczenie Jędrka nie zwalało z nóg argumentacją. Dlatego ani mama, ani mężczyźni nie bardzo się nim przejęli.

– To co robimy, kierowniczko? – spytał jeden z nich.

– Proszę ją znieść. A ty daj spokój. Idź z panami, może trzeba będzie pomóc.

Jędrek miał jeszcze nadzieję, że magiczna szafa stawi opór, będzie na przykład wydawała straszne dźwięki albo nie da się ruszyć z miejsca. Jednak szafa nie opierała się. Mężczyźni złapali ją z dwóch stron i bez trudu znieśli na dół. Ustawili ją w salonie, napili się lemoniady przygotowanej przez Ewę i poszli.

Szafa stała pośrodku pokoju. Jędrek podszedł do niej i musiał stwierdzić, że prezentowała się jeszcze lepiej niż na strychu. Pogładził jej drzwi.

– Prawda, że jest piękna? – powiedziała mama, wchodząc do pokoju. – Będę trzymała w niej tylko najlepsze rzeczy.

– Mamo... To nie jest zwykła szafa.

– No przecież wiem. Teraz nikt takich nie robi.

– Nie o to chodzi... – Jędrek nie wiedział, jak dorosłym wyjaśnia się istnienie magii. – Ona jest jak... szaman. Taki, o których mówił nam tata.

– Co ty pleciesz? Chyba za długo spałeś – zaśmiała się mama i złapała za gałkę, aby ją otworzyć.

– Nie otwieraj! – krzyknął Jędrek i Ewa cofnęła dłoń.

– Dlaczego? – Patrzyła na Jędrka z niepokojem.

– Najpierw powiedz hasło...

– Hasło?

– Tak. Powiedz: „Jaka cudna intarsja z drzewa cedrowego".

O ile Ewa zachowanie Jędrka uważała do tej chwili za lekko nieszkodliwe dziwactwo, o tyle teraz uznała, że chyba majaczy.

– Synku... To nie jest hasło, ona naprawdę ma tę intarsję... – powiedziała łagodnie.

– Wiem, ale powiedz.

– Jaka cudna intarsja z drzewa cedrowego – poddała się Ewa, zerkając na syna. – I co teraz? Mogę otworzyć?

Jędrek kiwnął głową. Mama chwyciła za gałkę i pociągnęła drzwi. Szafa otworzyła się z lekkim skrzypnięciem. Oboje natychmiast zajrzeli do środka. Była pusta. Po księdze nie został najmniejszy ślad.

Jędrek nie wierzył własnym oczom.

– Gdzie ona jest? – powiedział bardziej do siebie i jeszcze raz dokładnie obejrzał wnętrze szafy.

– Kto?

– Nie kto, ale co – poprawił ją Jędrek. – Tu była księga.

– Jaka znowu księga, synku? – spytała mama z nieskrywaną troską w głosie.

– Magiczna. Ale wy, dorośli, nigdy tego nie pojmiecie. To może oznaczać tylko jedno z dwojga: albo ktoś ją ukradł, albo misja została zakończona.

Ewa nie miała pojęcia, o jakiej misji mówi Jędrek, ale uznała, że to rodzaj dziecinnej zabawy. W końcu trwały jeszcze wakacje i kiedy ona zajmowała się doprowadzaniem domu do porządku, pozostawiony sam sobie chłopak musiał coś wymyślić, aby nie umrzeć z nudów. Nie komentowała więcej haseł, szaf i ksiąg. Pogładziła go po głowie i wyszła z pokoju. Jędrek stał jeszcze chwilkę przed otwartą szafą.

– Czy to już naprawdę koniec? – spytał, patrząc na nią, ale zabytkowy mebel odpowiedział mu milczeniem.

• • •

Jakub położył na pieńku dużą szczapę drewna. Uderzył w nią z całej siły siekierą, a ta natychmiast rozpadła się na dwa mniejsze kawałki. Jego dom ogrzewany był kuchnią węglową, ale gdy brakowało węgla, najlepszym opałem okazywało się właśnie drewno. Mimo że daleko było jeszcze do chłodnych jesiennych dni, już teraz postanowił poczynić przygotowania. Pełen zapas drewna w drewutni mógł starczyć na ponad rok opalania. Zajęty rozbijaniem kawałków, Jakub nie zauważył, że w pobliżu jego domu ktoś się pojawił. Gość chrząknął i gospodarz się odwrócił. Kilkanaście metrów od niego stała Wanda Piechaczowa z torbą w ręku. Jakub nie lubił okazywać emocji, ale w obecności kobiety, która rozpętała w jego życiu piekło, trudno było zachować spokój. Zmarszczył lekko brwi i wyprostował się. Piechaczowa zauważyła jego niechętną minę i zawahała się, czy podejść bliżej. W końcu odważyła się i zrobiła w jego stronę dwa drobne kroczki. Zatrzymała się w bezpiecznej odległości, na wypadek gdyby Jakub pod wpływem nagłego impulsu chciał się na nią rzucić.

– Przyszłam... przyszłam powiedzieć, że to wszystko, co wtedy, z tymi kurami... – Piechaczowa nie mogła znaleźć odpowiednich słów. – No, jednym słowem, nie chcę, żeby Jakub miał do mnie żal i złość. Gdybym ja wiedziała, że to ten łobuz! Gdybym tylko wiedziała! – Zdenerwowała się na samo wspomnienie Zydla.

Jakub milczał, więc Piechaczowa westchnęła i kontynuowała:
– Chcę, żeby Jakub wiedział, że jest mi przykro. Żałuję tego zamieszania, no, tego wszystkiego, co się stało. I chciałabym, żeby Jakub przyjął ode mnie coś na zgodę. – To powiedziawszy, otworzyła torbę, z którą przyszła. Wyjęła z niej marynarkę, koszulę, spodnie. – Mój świętej pamięci mąż był tego samego wzrostu i budowy co ty, Jakubie. Pomyślałam, co ma się marnować, kiedy może się przydać?

Wyjaśnienia i przeprosiny Piechaczowej to nie było mistrzostwo świata. Mówiła nieskładnie i niepięknie, ale robiła to z czystego odruchu serca i trudno było tego nie zauważyć. Zauważył to również Jakub. Milczał jeszcze chwilę, potem odłożył siekierę i ruszył w jej stronę. Piechaczowa cofnęła się odruchowo. Jakub podszedł, popatrzył na rzeczy i sięgnął po spodnie. Obejrzał je ze wszystkich stron.

– No, jeśli nie będą już potrzebne...

Piechaczowa uśmiechnęła się uszczęśliwiona.

– Ależ skąd! Mnie na pewno nie! Ja w tym nie chodzę! – zaczęła wyciągać rzeczy z torby. – Bierz, Jakubie, wszystko bierz! Tobie się to przyda, zima za kilka miesięcy...

Wyglądała tak, jakby kamień spadł jej z serca. Twarz jaśniała jej z radości, gdy przyglądała się, jak Jakub przymierza poszczególne części garderoby.

• • •

Ewa zajęła się przygotowaniem obiadu, na który zaprosiła Jakuba. Jędrek przez chwilę nawet jej pomagał, ale ponieważ pomylił sól z cukrem, tymianek z bazylią i potłukł dwa talerze, w końcu przepędziła go z kuchni. Długo nie szukał zajęcia. Korzystając z wolnej chwili, wszedł na górę, aby jeszcze raz przejrzeć listy. Po zniknięciu księgi stanowiły one ostatnią szansę odkrycia tajemnicy. Może przeoczył coś ważnego? Leżały na komodzie, tam gdzie je zostawił. Czytając je ponownie, natrafił na fragment w post scriptum, właściwie dopisek, który zwrócił jego uwagę. Tekst wyglądał następująco: „...a jeśli ktoś stanie na drodze naszej miłości, niech będzie przeklęty. Niech już na wieki w kamień zostanie zamieniony...".

Treść zdania brzmiała znajomo. Kamień? Wyciągnął z kieszeni spodenek kartkę, którą znalazł w komodzie, i porównał oba teksty. W jednym Komorowski życzy komuś przemiany w kamień, w drugim ktoś w kamieniu zamknięty ma zostać z niego uwolniony. Wszystko nabierało sensu. Tylko kim był ten, kogo miało dotknąć owo przekleństwo? Jędrek wiedział już na pewno, że nie chodzi o hrabiego. Myślał intensywnie. Miał listy miłosne bez kopert i dwa teksty o kamieniach, które mogła łączyć jedna i ta sama osoba. Tylko kto? Brakowało mu obecności Ani i Piotrka, może oni wpadliby na jakiś pomysł. Niestety, jego przyjaciele po nocnych wędrówkach mieli kilkudniowy zakaz opuszczania domu. Usłyszał, jak mama woła, aby zszedł na dół, ponieważ mają gościa.

Gdy wszedł do salonu, stanął oniemiały. Przy nakrytym do obiadu stole siedział Jakub. Był czysty, ogolony, w zupełnie nowym ubraniu. Wyglądał na kogoś zupełnie innego i w niczym nie przypominał zaniedbanego odludka. Mama wniosła wazę z zupą i postawiła ją na stole.

– No usiądź, co tak stoisz? – powiedziała do zdziwionego Jędrka.

– Pewnie chodzi o ubranie – uśmiechnął się lekko Jakub. – Dostałem je dzisiaj w prezencie.

– Bardzo ładnie pan wygląda, to prawda – powiedziała Ewa, która również zauważyła niezwykłą przemianę.

– Od kogo ten prezent? – nie wytrzymał Jędrek.

– Jędrek! Co to za pytanie? – ofuknęła go mama.

Jakub milczał przez dłuższą chwilę.

– Od pani Piechaczowej – powiedział w końcu.

Spodziewali się każdej odpowiedzi, tylko nie takiej. W grę mogli wchodzić wójt, pan Werner, nawet dziadek Antoni, ale Piechaczowa?

– Ta Piechaczowa? Z Lipek? – upewniła się Ewa.

– Ta sama. Z Lipek.

– No coś podobnego. – Ewa pokręciła głową z niedowierzaniem.

– Przyszła i przeprosiła mnie. A ja myślę, że jak już ktoś przychodzi i przeprasza, to nie wolno go odepchnąć.

– Bardzo dobrze pan zrobił – potwierdziła Ewa i nalała Jakubowi pełen talerz zupy.

Jędrek przyjrzał się uważnie gościowi. Choć dobrze zbudowany i umięśniony, mógł mieć około sześćdziesięciu lat. Świadczyły o tym jego oszronione włosy i wiele zmarszczek na twarzy. A jeśli tak, to mieszkając od lat w tym miasteczku, mógł znać Komorowskiego. Jego obecność dawała świetną okazję, aby podpytać o przeszłość starego domu.

– Czy znał pan tego hrabiego, który tu mieszkał, pana Komorowskiego? – zapytał w pewnym momencie.

Jakub znieruchomiał z łyżką zupy nad talerzem i zmienił się na twarzy. Spoważniał i zmarszczył brwi – jeśli wiedział cokolwiek, nie było to dla niego miłe wspomnienie. Mama również była ciekawa. Przestała jeść i czekała na odpowiedź. Jakub spojrzał na nich i westchnął ciężko.

– Tak. Niestety tak.

– Niestety? – spytał natychmiast Jędrek.

– Jędrek, może pan Jakub nie chce o tym mówić.

Ale Jakub pokręcił przecząco głową.

– Mogę. Powinienem.

Jego słowa brzmiały intrygująco, a Ewa przypomniała sobie, co powiedział pan Werner: „To był taki błąd młodości". Czyżby chodziło o tego hrabiego?

– Powiedziałem niestety, ponieważ to smutna historia. Nie wiem, czy chcą jej państwo wysłuchać.

Ale oboje energicznie kiwnęli głowami.

Jakub zamyślił się, szukając odpowiednich słów.

– Kiedy przyjechałem do tego miasteczka jako młody chłopak, ten dom stał zupełnie niezamieszkany. Mówiono, że jego poprzedni właściciele sprzedali go jakiemuś bogatemu człowiekowi. Komuś, jak mówiono, z wielkiego miasta. Ponieważ jednak przez długi czas od sprzedaży nikt się tu nie wprowadzał, ludzie przestali się nim interesować.

– Jak długo stał pusty? – zapytał Jędrek.

– Około roku. Oprócz buszujących po ogrodzie dzieci, które biegały tu na jabłka, nic się nie działo. Dom stał opuszczony. Aż wreszcie któregoś dnia, gdy przechodziłem obok, spostrzegłem w oknach światła. Ktoś się do niego wprowadził.

– I to był Komorowski?

– Cii, nie przeszkadzaj... – uciszyła Jędrka mama.

– Tak. To był hrabia Komorowski. Wprowadził się do domu sam. – Jakub zamilkł, jakby coś sobie przypominając. – Chociaż zaraz, nie. Razem z nim zamieszkał jeszcze jego stary służący. Tak, był jeszcze Józef. Pojawienie się hrabiego od razu wzbudziło sensację. Był młody, wykształcony... bardzo dobrze ubrany. Wszyscy dziwili się, że żyje sam, bez żony i dzieci. Ktoś wreszcie zapytał go o to, a on odpowiedział, że naukowiec to ktoś, kto nie powinien mieć rodziny.

– Święta prawda! – ożywiła się Ewa. – Mój mąż jest naukowcem. Mija już czwarty miesiąc, jak wyjechał na tę swoją wyprawę. Wciąż coś bada i bada. A my tu sami.

– Cii, mamo, nie przerywaj – nie pozostał jej dłużny Jędrek.

– Dobrze, już nic nie mówię – zgodziła się potulnie Ewa.

Jakub odczekał chwilę i kontynuował.

– Od tego czasu ludzie zaczęli mówić, że hrabia przeprowadza w domu dziwne eksperymenty. Nikt oczywiście nie wiedział dokładnie, co robi, ale tym bardziej wymyślano najdziwniejsze rzeczy. Jedni mówili, że jest alchemikiem i szuka przepisu na złoto, inni, że jest biologiem i na zlecenie wojska pracuje nad jakimś strasznym wirusem.

– A co tak naprawdę robił? – spytała Ewa, która nagle uświadomiła sobie, że jeśli wersja z wojskiem okazałaby się prawdą, to dom byłby tykającą bombą zegarową – wirus w każdej chwili mógł się ujawnić, a wtedy padną tu jak muchy.

– Był chemikiem. Zdaje się, że wynajdywał leki na jakieś rzadkie choroby. Nie pamiętam na jakie. W każdym razie nie prowadził żadnych niebezpiecznych eksperymentów. Ludzie myśleli tak: jeśli jest hrabia, to pewnie będą również huczne przyjęcia, będą się do Lipek zjeżdżać wielcy ludzie, piękne panie... Ale nic takiego się nie działo. Nie było przyjęć, a i zwykłych gości hrabia miewał rzadko... Całe dnie spędzał nad recepturami i wychodził tylko na godzinę, wieczorem. Siadał w ogrodzie i wpatrywał się w gwiazdy. Stary Józef w jakiś czas potem wyjechał, przy Komorowskim nie miał wiele pracy.

– Jak można tak żyć? – nie rozumiała Ewa.

– On mógł. I prawdopodobnie jeszcze długo nie zmieniałby swoich nawyków, gdyby nie to, że... – Jakub zawiesił głos. – Gdyby nie to, że się zakochał.

Po tych słowach zamilkł. Właściwie zapadł się w sobie – przez chwilę był myślami bardzo daleko. W końcu zaczął znowu opowiadać.

– Wybranką jego serca była młoda nauczycielka, Anna Liszewska.

Jędrek nadstawił uszu. Jakub przechodził do tej części opowieści, która najbardziej go interesowała.

– Jak się poznali? – spytała zaciekawiona mama, która uwielbiała wysłuchiwać historii miłosnych.

– Kiedy Józef wyjechał, Komorowski sam musiał jeździć do miasteczka i robić zakupy. Spotkali się któregoś dnia... Na ulicy? Może w sklepie? Nie pamiętam. Na pewno w miasteczku. Od razu przypadli sobie do gustu. Ale nie od razu zaczęli się spotykać. Właściwie widywali się rzadko... Głównie pisali do siebie listy.

– Listy? Dlaczego tak? Mieszkali przecież blisko... – zdziwiła się Ewa.

– Tak, ale Anna uczyła lipskie dzieci, musiała dbać o reputację, a on miał opinię dziwaka i szarlatana... Dla świętego spokoju, póki Anna nie zmieni pracy, postanowili się nie spotykać. Dlatego pisali listy.

– Romantyczne – uśmiechnęła się Ewa.

– I co się dalej stało? – niecierpliwił się Jędrek.

Na czole Jakuba pojawiła się marsowa zmarszczka. Następne słowa wypowiadał już z trudem, jakby były kamieniami wydobywanymi z dna kopalni.

– Potem wydarzyło się coś złego. Ktoś inny wmieszał się w ich związek.

– I ukradł listy Komorowskiego? – nie wytrzymał Jędrek.

Jakub zamilkł. Słowa chłopca podziałały na niego porażająco.

– Skąd wiesz? Ktoś ci powiedział? – zapytał i pobladł.

Mama również była zaskoczona.

– No, właśnie, skąd wiesz?

– Tak po prostu powiedziałem. – Jędrek zmieszał się trochę, ale nie dawał nic po sobie poznać. – A to prawda?

– Prawda. Listy zostały sfałszowane.

– Dlaczego? Przez kogo? – Ewa była zaintrygowana.

– Ktoś chciał ich rozłączyć.

– Kto to był? – spytała Ewa.

– Tamtejszy listonosz. Sfałszował listy i wprowadził oboje w błąd. Anna myśląc, że Komorowski ją oszukał i zakpił z niej, wyjechała z miasteczka. – Jakub westchnął. – Komorowski nigdy tego nie zrozumiał. Kobieta, którą kochał, znikła nagle bez słowa. Mieszkał w Lipkach jeszcze miesiąc i również wyjechał. Ktoś mówił potem, że wpadł w obłęd. I wtedy Jędrek wszystko zrozumiał. To było takie proste! Dlaczego od razu o tym nie pomyślał! Przed oczami stanęła mu tragiczna historia hrabiego Monte Christo, który również w wyniku intrygi rozstał się z ukochaną, a po latach dokonał zemsty na swoich oprawcach. Czyżby ta historia miała być podobna, tylko że w imieniu hrabiego prawdę ujawniał stary dom?

– To rzeczywiście smutna opowieść – stwierdziła Ewa. – Jaka szkoda, że nie można już tego wszystkiego naprawić. Ładne historie powinny mieć dobre zakończenie.

– Można to naprawić – powiedział Jędrek z głębokim przekonaniem.

Jakub spojrzał na chłopca trochę zdziwiony, może nawet przestraszony.

– Co ty mówisz? – uśmiechnęła się mama. – Jak?

– Pan Jakub może to zrobić. – Jędrek spojrzał Jakubowi prosto w oczy. – To pan był tym listonoszem, prawda?

Jakub nie odpowiedział od razu, dopiero po chwili skinął głową.

– Ach! – wykrzyknęła Ewa i zamilkła.

Nie wiedziała, co powiedzieć. Teraz i ona zrozumiała, co miał na myśli pan Werner, mówiąc o błędzie młodości. Ale jak, na Boga, domyślił się tego jej syn?

Jakub nie wydawał się zagniewany tym, że jego tajemnica została odkryta. Wyglądał raczej tak, jakby mu ulżyło, jakby pozbył się noszonego przez lata ciężaru. Teraz, gdy prawda ujrzała światło dzienne, przyszło uspokojenie.

– Skąd o tym wszystkim wiesz? – spytał.

– Ja... my... my znaleźliśmy te listy Komorowskiego – odparł zmieszany Jędrek. – Były w dziupli, koło pana domu.

– To dlatego chodziliście w nocy po lesie? – odgadła mama.

– Ale skąd...? – Jakub nie mógł pojąć, jakim cudem małe dzieci dotarły do jego tajemnicy. – Skąd wiedzieliście, gdzie one są?

– Ja wiem, że to dziwnie zabrzmi, ale powiedział nam o tym... dom. Ten dom. A raczej jakieś moce ukryte w szafie. Tej na strychu, z intarsją z drzewa cedrowego... Tam była księga i od niej dostawaliśmy wskazówki.

– Właśnie tej księgi szukałeś?

– Tak. To wyglądało tak, jakby kierował nią jakiś... duch.

– Duch Komorowskiego... – powiedziała cicho mama i rozejrzała się z lękiem.

– Nie, nie... Komorowski żyje – odpowiedział szybko Jędrek. – Znaleźliśmy go.

– Gdzie?! – Zaskoczona mama zamrugała oczami. Jaką jeszcze rewelację ma dla niej dzisiaj syn?

– W internecie. Znamy uniwersytet, na którym pracuje.

Mama popatrzyła teraz na Jędrka, jakby był co najmniej Sherlockiem Holmesem. Jej mały syn prowadził podwójne życie! Robił rzeczy, o których nie miała pojęcia.

Jakub zrozumiał, że obojgu należy się teraz wyjaśnienie.

– To prawda. Byłem listonoszem. Młodym i głupim. Gdy zobaczyłem, do czego doprowadziłem, bardzo tego żałowałem. Okropnie mnie to męczyło. Poszedłem więc do naczelnika poczty i wszystko mu opowiedziałem. Za złamanie tajemnicy korespondencji i sfałszowanie listów zostałem zwolniony z pracy. Ale naczelnik obiecał, że nikomu o tym nie powie.

– Niech zgadnę. Naczelnikiem był wtedy pan Werner? – Ewa również wykazała się umiejętnością dedukcji.

Jędrek spojrzał na nią mile zaskoczony.

– Tak. Pan Werner – potwierdził Jakub. – Zawsze był dla mnie życzliwy.

– Stąd u niego ta pasja do znaczków! – wykrzyknęła Ewa. I dla niej wszystko stawało się jasne. Praca detektywa zaczynała ją wciągać.

Jakub kiwnął głową.

– Gdy przeszedł na emeryturę, stał się znanym filatelistą. Następnie wstał od stołu, podszedł do okna i wpatrzył się w ciemny ogród.

Mama z synem czekali spokojnie na to, co jeszcze powie.

– Od tej pory zacząłem stronić od ludzi. I od tego domu. – Nagle odwrócił się. Jego twarz wyrażała zdecydowanie. – Chłopcze... Co miałeś na myśli, mówiąc, że to wszystko można naprawić?

– No bo... Bo jest jeszcze przepowiednia... – Jędrek wyjął ze spodenek kartkę i podał Jakubowi.

Ten przeczytał tekst i usiadł wzruszony. Przez chwilę tkwił nieruchomo, potem nagle skrył twarz w dłoniach.

• • •

Stanisław Komorowski włożył do teczki prace pisemne swoich studentów. Zbliżał się wieczór i była najwyższa pora, aby w końcu udać się do domu. Wyszedł ze swojego gabinetu i zamknął go na klucz. Ruszył korytarzem do wyjścia. Mijając strażnika, skłonił mu się z galanterią, a ten odpowiedział skinieniem głowy.

– Ciepły wieczór, panie profesorze. Lepiej pospacerować, niż czytać te ich bazgroły – powiedział strażnik z uśmiechem.

– Niektórzy bazgrzą całkiem rozsądnie – odpowiedział łagodnie Komorowski.

Kiedy profesor wyszedł z uczelni, od razu skierował się w stronę przystanku autobusowego. Ten piękny wieczór przypominał mu inne dni i wieczory, równie ciepłe, spędzone dawno temu w pewnym starym domu. Często wracał myślami do tego czasu, kiedy po raz pierwszy szybciej zabiło mu serce. Minęło prawie pół wieku, a jemu zdawało się, jakby to było wczoraj.

– Czy pan Stanisław Komorowski? – usłyszał nagle za sobą męski głos. Odwrócił się. Stał przed nim siwy, ale ogorzały mężczyzna. Jego oczy były smutne, ale twarz wyrażała siłę i zdecydowanie.

– Tak, to ja, o co chodzi? – spytał zdziwiony.

– Przyjechałem do pana z Lipek.

Usłyszawszy nazwę miejscowości, Komorowski uniósł wysoko brwi.

– Z Lipek?

– Tak. – Mężczyzna zawahał się chwilę. – Pracowałem tam kiedyś jako listonosz.

Komorowski oniemiał. Przyjrzał się uważniej mężczyźnie.

– Pamiętam! Ty jesteś Jakub! Tyle lat, tyle lat... mój Boże... Masz jeszcze ten zegarek, cebulę, którą ci dałem?

Jakub skinął głową i wyjął zegarek.

Profesor kręcił głową z niedowierzaniem. Potem nagle uśmiechnął się.

– Co cię tu sprowadza?

Jakub zwlekał chwilę z odpowiedzią.

– Chciałbym... chciałbym, żeby mi pan wybaczył.

– Panu? – Profesor był zaskoczony. – A jakiż to ja żal mogę mieć do ciebie, Jakubie?

Na te słowa Jakub sięgnął do kieszeni i wyjął z niej plik listów.

• • •

Scenie tej przyglądały się cztery osoby ukryte za budką telefoniczną. Na gorąco komentowały zdarzenie i przepychały się, aby lepiej widzieć.

– Już dał mu te listy – szepnęła przejęta Ania.

– No przecież widzimy... – Piotrek spojrzał na siostrę z politowaniem.

Dziwnie wyglądali za tą budką. Przypominali złoczyńców, a przynajmniej kogoś, kto ma co nieco na sumieniu. Kilka osób przechodzących chodnikiem zerknęło na nich z zaciekawieniem. Mama Jędrka, wspólnik konspiracji, poczuła się nieswojo.

– Że też dałam się namówić na to wariactwo. Jak ja wyglądam za tą budką...

– Rany, mamo... – Jędrek zupełnie nie rozumiał jej obiekcji, przecież na ich oczach rozgrywała się doniosła rzecz. – Nie nadajesz się do wielkich akcji...

• • •

Komorowski otworzył jeden z listów i przebiegł po nim wzrokiem.

– To niemożliwe... Przecież to list Anny... – Natychmiast otworzył następny. – I mój do niej... – Spojrzał pytająco na Jakuba.

Jakub westchnął głęboko i spojrzał w niebo, szukając wsparcia przed tym, co za chwilę miał wypowiedzieć.

– Wykradłem wasze listy i napisałem swoje. Sfałszowałem państwa korespondencję. To przeze mnie państwo się rozstali.

– Ale dlaczego? – Komorowski był bardziej zdziwiony niż zły. – Dlaczego to zrobiłeś?

Jakub zwlekał z odpowiedzią.

– Ponieważ ja również byłem zakochany w Annie.

Komorowski nie wiedział, co począć z tym wyznaniem. Patrzył przez chwilę na Jakuba i zdało mu się, że widzi najsamotniejszego człowieka na ziemi. W końcu zaczął mówić:

– Kiedy mieszkałem w tym starym domu, bardzo często miałem wrażenie, że to nie ja w nim mieszkam, lecz on we mnie. I często łapałem się na tym, że niektóre rzeczy robię dlatego, że tak chce ten dom. On miał jakąś moc. A kiedy pojawiła się Anna, poczułem, że wreszcie jest ktoś, kim nie mogę i nie chcę się dzielić. I kiedy nagle moja miłość skończyła się, pomyślałem: dość. To jego wina. Wyjechałem, nie mogłem tam dłużej mieszkać. Czy to jest mądre? Tak przecież nie wolno myśleć. To tylko cztery ściany, cegły i drewno. A teraz ty, Jakubie, przychodzisz i przynosisz mi te listy...

Jakub zamierzał sprostować, że to właśnie domowi zależało, aby sprawa z przeszłości została wyjaśniona, ale zrezygnował.

– Bardzo żałuję tego, co się stało. Żałowałem przez te wszystkie lata, proszę mi wierzyć – powiedział jedynie cicho Jakub.

– A wierzy pan w przeznaczenie? – spytał nagle profesor i lekko się uśmiechnął.

Jakub pokręcił przecząco głową.

– No widzi pan, ja też kiedyś nie wierzyłem. Aż nagle wszystko się zmieniło. – Profesor złożył listy i spojrzał łagodnie na Jakuba. – Po dwóch latach spotkałem Annę ponownie. Została moją żoną i jest nią nadal. Niech pan się już tym nie zamartwia. – To powiedziawszy, profesor zbliżył się do Jakuba i położył mu dłoń na ramieniu. – Może da się pan zaprosić do nas na herbatę?

• • •

Przed starym domem trwała krzątanina. Nadszedł czas na malowanie strychu i wynoszono z niego wszystkie przedmioty. Było ich mnóstwo. Aż trudno uwierzyć, że wszystkie zmieściły się w tym niezbyt dużym pokoju na poddaszu. W ogrodzie stały stare krzesła, dwie wielkie skrzynie, kilka regałów i wiele innych drobnych rzeczy. Część z nich czekała na wywóz – do niczego się już nie nadawały, pozostałe Ewa postanowiła zachować. Po odnowieniu miały stanowić część umeblowania. Wśród tych wszystkich rzeczy, na starej kanapie, która niedługo na zawsze miała opuścić dom, siedzieli Ania, Jędrek i Piotrek. Trochę martwiło ich, że strych stracił swój tajemniczy charakter. Przecież wszystkie ich przygody zaczęły się właśnie od niego.

– Ciekawi mnie jedna rzecz... – powiedziała Ania. – Dlaczego księga przeniosła twoją mamę na przystanek? Chyba nie chodziło o to, żeby wyjechała.

– Myślałem o tym. – Jędrek uśmiechnął się.

– I co?

– Oczywiście, nie chodziło o wyjazd. Miała po prostu spotkać pana Wernera. On był ważną częścią całej opowieści.

– No tak – powiedział z żalem Piotrek. – I znowu się okaże, że nie ma żadnego świata równoległego. Teraz to już w ogóle nie ma żadnej tajemnicy.

Wszyscy troje rozumieli, że stary dom wymaga remontu, ale wraz z bałaganem i brudem na zawsze znikała magia tego miejsca. A z tym już trudniej było się pogodzić.

– Ciekawe, co się stało z księgą – zastanawiała się Ania.

Ale chłopcy nie wiedzieli. Księga była ostatnim dowodem na istnienie sił magicznych.

Kiedy siedzieli w milczeniu, markotni, wspominając wydarzenia ostatnich dni, z domu wyszedł jeden z malarzy. Niósł w dłoniach obraz z przedpokoju.

– Pani Ewa powiedziała, że na czas malowania lepiej go wynieść. Gdzie mam go położyć? – zwrócił się z pytaniem do dzieci.

Jędrek rozejrzał się.

– Proszę położyć go na tym starym fotelu.

Malarz ustawił ostrożnie portret szlachcica na obszernym siedzeniu fotela i wrócił do domu. Dopiero teraz Jędrek mógł

mu się przyjrzeć w świetle dnia. W przedpokoju zawsze było zbyt ciemno, aby dostrzec wszystkie szczegóły. Szlachcic siedział na wielkim zdobionym artystycznie krześle, miał sumiaste wąsy i wielki biały kołnierz koszuli, a za jego plecami stała... szafa z intarsją! Ale oprócz tego niezwykłego odkrycia było też inne. Jędrek poderwał się z kanapy.

– Słuchajcie... To niesamowite... – wyszeptał.

– Co takiego? – nie zrozumiała Ania.

– Popatrzcie, co on trzyma w rękach!

– Księgę! – wykrzyknął Piotrek. – Naszą księgę!

Cała trójka zbliżyła się do obrazu.

– On wcześniej miał ręce złożone na piersiach, dobrze pamiętam... – Jędrek był podekscytowany.

Przyjaciele wpatrzyli się w księgę. Nie było wątpliwości – była to ta sama księga, którą znaleźli w szafie. Ania niemal oparła się nosem o płótno.

– Widać jakiś napis na otwartych stronach... Daj mi chustkę – powiedziała do Jędrka.

Ale Jędrek, jako szanujący się nastolatek, nie nosił chustek. Miał za to rękaw koszuli i nim przetarł płótno. Oczom przyjaciół ukazał się napis: „W podziemiach kościoła, trzy orły ukryte". To mogło znaczyć tylko jedno – księga znowu dawała im wskazówkę.

Ale to już temat na zupełnie inną opowieść...